L507 WITHDRAWN

D0538085

The Open University

centre for
MODERN
LANGUAGES

A fresh start in German

COLLEGE OF RIPON
AND YORK ST JOHN
YORK CAMPUS LIBRARY

College of Ripon & York St. John

3 8025 00374651 1

160455

L507 project team

Course team
Lore Arthur (chair)
Gail Barron (course manager)
Uwe Baumann (critical reader)
Kate Evans (secretary)
Ragnhild Gladwell, Goethe Institut (critical reader)
Felicitas Kusch (audio)
Pam Higgins (designer)
Christine Pleines (author and coordinator)
Frances Reynolds (freelance editor)
Claire Sandry (audio)
Monica Shelley (academic editor)
Duncan Sidwell (critical reader)
Ann Smith (secretary)
Ekkehard Thumm (editor)
Ray Webb (illustrator)

Consultant writers
Mirjam Hauck
Susanne Herbst
Corinna Schicker

External assessor
Dr Hanne Castein

The course team would like to thank all the people of Wuppertal who contributed to *Café Einklang*.

The Open University, Walton Hall, Milton Keynes MK7 6AA

First published 1996 by The Open University and Hodder & Stoughton Educational

Copyright © 1996 The Open University

All rights reserved. No part of this publication may be reproduced, stored in a retrieval system or transmitted in any form or by any means, electronic, mechanical, photocopying, recording or otherwise, without either the prior permission of the Publishers or a licence permitting restricted copying issued by the Copyright Licensing Agency, 90 Tottenham Court Road, London W1P 9HE. This book may not be lent, resold, hired out or otherwise disposed of by way of trade in any form of binding or cover other than that in which it is published, without the prior consent of the Publishers.

Edited, designed and typeset by the Open University

Printed in the United Kingdom by WBC Book Manufacturers Ltd, Bridgend, Mid Glamorgan

A catalogue record for this title is available from the British Library

ISBN 0 340 67360 5

This pack may be used as preparation for studying the Open University course L130 *Auftakt: Get ahead in German*. If you would like a copy of *Studying with the Open University* or more information on Open University language materials, please write to the Central Enquiry Service, P.O. Box 200, The Open University, Walton Hall, Milton Keynes MK7 6YZ.
1.1
L507booki1.1

Inhalt

. . . . . Einleitung

Welcome to *Café Einklang*! Read this introduction first before you start studying the book.

What's in this learning pack?

This pack helps you to take part in a week in the life of the people who work at Café Einklang, their customers and their friends and relatives. You'll meet the owners of the café, Karin and Irfan Meyer-Sert, Karin's brother Thomas – a student helping out at Café Einklang during his holidays – and their new waiter, Wolfgang Klose. Karin's friend Heike from Dresden arrives for a visit, new and old customers come and go, Irfan has problems with his new computer as well as having to deal with the demands of running a business.

The learning pack is made up of this book, two cassettes and an audio transcript booklet. One of the cassettes has a series of speaking activities and is closely integrated with the book. The other cassette can be used independently: it contains a number of short audio recordings featuring a range of people in Wuppertal. It also has some speaking and listening activities to reinforce the language you've heard in the audio features.

Café Einklang is imaginary, but it is located in a real place, the city of Wuppertal.

Wuppertal lies in the *Ruhrgebiet*, an industrial area of Germany near the River Rhein (Rhine). Other cities in this area include Essen, Solingen and Düsseldorf. Wuppertal takes its name from the River Wupper, which flows right through it. Because Wuppertal was originally made up of a number of separate villages on the banks of the Wupper, it contains very clearly defined districts, such as Elberfeld, Barmen and Vohwinkel, which are all named after these villages.

In addition to its industries (mainly textiles), Wuppertal is well known for its *Schwebebahn*, a unique suspension railway which runs the length of the valley, linking the different districts. The *Schwebebahn* dates from the turn of the century and carries 60,000 passengers every day.

Wuppertal is also famous for its zoo and for the Wuppertal *Tanztheater*, whose company tours the world.

What will you learn?

This book covers the seven days of the week beginning with Sunday: *Sonntag,
Montag, Dienstag, Mittwoch, Donnerstag, Freitag* and *Samstag*. Each day is
divided into three sessions, usually corresponding to morning, afternoon and
evening. These sessions are called *Morgen* or *Vormittag* (morning – depending

on how early in the day they start), *Mittag* (midday) or *Nachmittag* (afternoon), and *Abend* (evening). Each session will give you

- insights into German life, current issues and concerns, cultural pointers
- practice in the four skills needed to develop ability in a foreign language (speaking, writing, listening and reading)
- opportunities to learn and revise the basics of German grammar
- chances to learn and use speech structures which help you to operate effectively in a foreign language.

At the end of each 'day', there are self-assessment exercises for you to consolidate what you have learned.

How will you learn?

Activities

This book, and the cassettes which go with it, make up an interactive teaching package whose main aim is to promote active, independent learning. The core of each session are the activities, with answers and feedback at the end of the book. While the instructions and explanation of the purpose of these activities are in English, there are also brief instructions in German, as follows.

Bitte beantworten Sie die Fragen.   Answer the questions.

Bitte hören Sie.   Listen to the cassette.

Bitte korrigieren Sie.   Correct something.

Bitte kreuzen Sie an.   Mark the appropriate box with a cross. (In Germany people use crosses instead of ticks!)

Bitte lesen Sie.   Read something.

Bitte ordnen Sie.   Put words or sentences in the right order.

Bitte ordnen Sie zu.   Match up words or sentences.

Bitte schreiben Sie.   Write something.

Bitte sprechen Sie.   Say something (usually in conjunction with the cassette).

There is a brief introduction to each session to give you an idea of what happens in that session, plus key points to summarise what is to be taught. Each session contains similar elements, starting with some picture clues to the contents of the session. There will be activities to check that you've understood, and to practise what is being taught. Each session contains a chunk of story-line and one or more grammar points, which you will then practise. A brief glossary of grammatical terms is included here in case you are not completely familiar with the words which are commonly used to describe grammatical elements. You'll get more information about, and examples of these terms as you work your way through *Café Einklang*.

Some common grammatical terms

Term	Brief explanation	Example
Adjective	A word which describes a noun.	*eine* **gute** *Pizza*
Adverb	A word which describes a verb or an adjective.	*Sie wohnt* **südlich** *von Dresden.* *Es ist* **furchtbar** *kalt.*
Article	Articles come before nouns – in English the definite article is '**the**' and the indefinite article is '**a**' or '**an**'.	**die** *gute Pizza* **eine** *gute Pizza*
Case	Case describes the relationship between the subject and object or indirect object in a sentence. There are four cases in German: • the **nominative** (case of the subject in a sentence); the articles in the nominative are *der*, *die* or *das* depending on the gender of the word. • the **accusative** (case of the direct object in a sentence); the articles are *den, die* or *das*. • the **genitive** (shows possession); the articles are *des, der* or *des*. • the **dative** (case of the indirect object in a sentence); the articles are *dem, der* or *dem*. (See below for a definition of '**subject**' and '**object**'.)	 **Der Kellner** *heißt Wolfgang.* *Ich rufe* **den Kellner**. *Die Arbeitszeiten* **des Kellners** *im Café Einklang sind sehr lang.* *Ich gebe* **dem Kellner** *DM 20,–.*
Conjugation	Changes in the form of verbs according to whether they refer to actions in the past or present and according to who or what is doing the action.	**haben** (to have) **Present** **Past imperfect** *ich habe* *ich hatte* *wir haben* *wir hatten*
Declension	The system of endings for articles, adjectives or nouns to show case, gender and number.	**der** *gute Computer* **die** *gute Pizza* **das** *gute Kino* **die** *guten Kinos*
Gender	German nouns take one of three genders: masculine, feminine or neuter.	**der** *Computer* (m) **die** *Pizza* (f) **das** *Kino* (n)
Infinitive	The basic form of a verb, meaning 'to …'	**haben** (to have)
Noun	A word which names a person or thing.	**Kellner, Café**

Term	Brief explanation	Example
Object	• The object of a verb is the person or thing which is directly affected by the action of the verb.	*Karin ißt **eine Pizza**.*
	• The indirect object is the person or thing at which the direct object is aimed.	*Karin gibt **der Katze** eine Pizza.*
Participle	A past participle is a form of the verb used to make past tenses.	*ich habe **getrunken***
Preposition	A word which combines with a noun or pronoun to form a phrase linking the noun to the rest of the sentence.	*Irfan arbeitet **mit** dem Computer.* *Thomas liegt **auf** seinem Bett.*
Pronoun	A word which stands for a noun.	***Sie** arbeitet im Café.*
Subject	The subject of the verb is the person or thing performing the action of the verb.	***Karin** ißt eine Pizza.*
Tense	The form of the verb which tells you when the action takes place.	*Karin **arbeitet** im Café.* (now) *Karin **hat** im Café **gearbeitet**.* (in the past)
Verb	The word which describes the action being done by the subject of the sentence or part of the sentence. German verbs can be regular or irregular, have separable or inseparable prefixes, or be reflexive (i.e. showing an action which people do to themselves).	*Karin **ißt** eine Pizza.* *Thomas **steht** morgens spät **auf**.* (separable verb) *Ich **verstehe** nicht.* (inseparable verb) *Darf ich **mich setzen**?* (reflexive verb)

Audio cassettes

You will be told exactly when to use the **audio activities cassette**, which will help you to practise your pronunciation, take part in short dialogues and develop listening comprehension. This cassette is labelled *Activities Cassette*.

The **features cassette** (labelled *Independent Listening Cassette*) contains seven short audio features (*Themen 1–7*) which echo and develop the themes covered in this book. There are also speaking and listening exercises on this cassette: join in as requested. You could play the features cassette at times when you can't read the book (when you're travelling, for instance, or ironing) – it will give you useful practice in listening and speaking. Because this is authentic material and people are speaking naturally, you shouldn't expect to understand everything they say the first time around. You could listen to each feature several times, do the activities suggested and then go back to the feature again. You might also find it useful to go back over the earlier features later on in your course of study: you will probably be surprised how much better you understand them. The transcript booklet will help you with comprehension, as you may find it easier to understand what people are saying if you can read the words as well. A further use for the transcript booklet might be to read along as you listen to the cassette.

Vocabulary

The relevant vocabulary for each session is provided at the end of the book to help you to learn it. In some cases there are a few words translated alongside the text to help you get the gist. You don't, however, have to look up *every* word you don't understand, just enough to get the general meaning. You will probably find it useful to have a dictionary of some kind to help you out, but always try to concentrate on what you *do* understand first. As you're probably aware, there are a number of irregular verbs in German. These have been displayed in the margin when they occur, so that you can see how they are conjugated.

Studying effectively

Only you know how much time you have to spare for study and when, but you may find that it helps to stick to a regular time when you can sit down with this book, the cassettes and audio transcripts, and your cassette recorder. Each of the learning sessions should take you two to three hours, so you should be able to complete one session in an evening. You could plan out the whole of your work over a few weeks, checking occasionally to make sure you are keeping to your schedule.

The feedback for the activities is there to help you, not just to give you the right answers. Take time to read it and to repeat activities if you feel you haven't understood them, or if the *Testaufgaben* (self-assessment activities) at the end of each 'day' indicate that you haven't grasped something as fully as you might. If you find a session particularly easy, don't omit it altogether, just run through it quickly as revision.

Being an independent learner, especially of a foreign language, is not easy. But you do have the tremendous advantage of being able to learn at your own speed, deciding for yourself what you learn and how you learn it.

The Open University German programme

This pack, *Café Einklang*, forms the very first step in a range of German language courses from the Centre for Modern Languages at the Open University. The courses which currently make up the German programme are:

Auftakt: get ahead in German   The first German course.

Suitable for people with some knowledge of German who want to revise and update it. This is a 30-point Open University course, at level one, offering 200 hours of study with tutorial support, assessment and final examination. It is also available in pack form without tuition.

Motive   The second German course.

This is a second level course roughly equivalent to 'A' Level study. It is a 30-point Open University course with tutorial support, assessment and final examination, and the added benefit of a residential school. It is also available in pack form with no tuition.

German Three   The third German course.

The final course in the programme is a 60 point course, taking you up to about first year undergraduate study level. It will have tutorial support, assessment, final examination and a residential school. Successful completion of all three of these courses will give you a Diploma in German. Like the others, this course will also be available as a pack.

The 16 *Bundesländer* of the Federal Republic of Germany, together with their capitals.

····· Vormittag

Sunday morning at Café Einklang – and the owners, Karin Meyer-Sert and her husband, Irfan, are waiting to welcome the new waiter, Wolfgang Klose. Karin's brother Thomas, a medical student who is helping them out during his holidays, is also at hand. Mimi the cat has to stay upstairs, though she sometimes manages to escape.

Key points

- practising greetings and introductions
- understanding people ordering drinks
- practising German pronunciation

Mein Name ist Thomas Meyer. Ich bin Karins Bruder.

Ich heiße Karin Meyer-Sert.

Und ich bin Irfan Sert, Karins Mann.

Und ich heiße Mimi.

Miau

1 Do you understand the picture story so far? One word is wrong in each of the sentences below. Cross it out and correct it. The first one has been done for you.

Bitte korrigieren Sie.

1 Es ist ~~Montag~~ vormittag.   *Sonntag*

2 „Ich heiße Karin Einklang."   _____

3 „Ich bin Irfan Sert, Karins Bruder."   _____

4 „Guten Abend, Herr Klose."   _____

5 „Thomas, das ist Herr Klose, der
   neue Professor."   _____

2 Now match up the introductions below. The first one has been done for you.

Bitte ordnen Sie zu.

1 Guten Tag. Mein Name ist   **a** Ich bin Irfans Frau.
   Wolfgang Klose.

2 Ich bin Karin Meyer-Sert.   **b** Ich bin der neue Kellner.

3 Ich heiße Thomas.   **c** Ich bin Karins Mann.

4 Ich bin Irfan Sert.   **d** Ich bin Karins Bruder.

Greetings and Introductions

How do you say 'hello'?

Guten Morgen.

Guten Tag.

Guten Abend.

In Southern Germany you will mostly hear *Grüß Gott*. In informal situations people usually say *Hallo*.

You will also hear shortened versions, such as *Morgen* or *'n Abend*.

How do you introduce yourself?

Klose, guten Tag.

Mein Name ist Klose.

Ich heiße Wolfgang Klose.

Ich bin Wolfgang Klose, der neue Kellner.

How do you introduce someone?

Das ist Herr Klose.

Das ist Frau Meyer-Sert.

Das ist Mimi, unsere Katze.

How do you ask people how they are, and answer?

Wie geht es Ihnen?

 Danke, gut./Gut, danke./Sehr gut!/Bestens.

 Es geht.

 Nicht so gut./Gar nicht gut.

Wie geht's? is the informal way of saying 'How are you?'

---

  3 Now use your activities cassette to practise saying 'hello' in German. There are six different 24-hour-clock times below. You will hear these times being announced on your cassette. Decide which greeting should be used for each time and speak in the gap after each time. The first one has been done for you. You'll hear the correct version afterwards.

Bitte sprechen Sie.

1   07.00   *Guten Morgen.*

2   19.00

3   10.00

4   14.00

5   23.00

6   13.00 (Use the informal greeting for this one.)

 4 Now carry on working with the activities cassette. Someone will ask you in German 'How are you?' Here are some pictures to give you a clue as to how you should answer. The first one has been done for you.

Bitte sprechen Sie.

1   Wie geht es Ihnen?   *Gut, danke.*

2   N____ s__ g___.

3   E_ _____.

4   S_____ g___.

5   G___ _____ _____!

5   To get some more practice with introductions and greetings, unjumble the sentences below. Practise saying them to yourself. The first one has been done for you.

Bitte schreiben Sie.

1   Guten ist Morgen, mein Wolfgang Klose Name.

     Guten Morgen, mein Name ist Wolfgang Klose.

2   Das Herr Sert ist.

3   Wie es geht Ihnen? Nicht gut so.

4   Hallo, Thomas bin ich.

5   Guten Karin. ich Tag, heiße

6   A number of different conversations might have taken place when Wolfgang Klose, the new waiter, arrived. You will find two possibilities below – but the order of the sentences has got mixed up. Put them in order by numbering them, then try reading them out loud.

Bitte ordnen Sie.

Dialog 1

Irfan Sert   Karin, das ist Wolfgang Klose.

Wolfgang Klose   Danke, gut.

freut mich   pleased to meet you

Karin Meyer-Sert   Freut mich, Herr Klose. Willkommen im Café Einklang! Ich bin Karin Meyer-Sert.

Irfan Sert   Guten Morgen, Herr Klose. Wie geht es Ihnen?

1   **Wolfgang Klose**   Guten Morgen.

Dialog 2

Thomas Meyer   Das ist Mimi, unsere Katze.

Wolfgang Klose   Guten Morgen. Ich bin Wolfgang Klose, der neue Kellner.

Thomas Meyer   Ich bin Thomas Meyer, ich bin Karins Bruder.

Wolfgang Klose   Oh, hallo – und wer ist das?

1   **Thomas Meyer**   'n Morgen.

14

7

The first customers arrive at 11 … (*Um elf Uhr kommen die ersten Gäste …*)
Read the story below. Which place names are mentioned? Look them up on a
map of Germany.

Bitte lesen Sie.

• •

Theke bar

sofort straight away

Um elf Uhr kommen die ersten Gäste ins Café Einklang. „Das sind Herr Stein und
Frau Klein“, sagt Karin zu Wolfgang. „Sie kommen jeden Sonntag morgen.“ Karin
und Wolfgang gehen zur Theke: „Guten Morgen, Frau Klein, guten Tag, Herr
Stein, wie geht es Ihnen?“ „Danke, gut.“ „Das ist Wolfgang Klose, der neue
Kellner.“ „Hallo, wie geht’s?“ fragt Frau Klein. Herr Stein fragt: „Woher kommen
Sie, Herr Klose?“ „Ich komme aus München. Aber ich wohne jetzt in Wuppertal.“
„Wir kommen aus Leverkusen“, sagt Frau Klein. „Und wir wohnen jetzt in
Remscheid.“ Dann bestellt sie: „Ein Pils und ein Glas Wein, bitte.“ Wolfgang fragt:
„Rotwein oder Weißwein?“ „Weißwein, bitte.“ „Kommt sofort!“

• •

How did the people in the story say where they come from and where they live?

Woher kommen Sie?   Ich komme aus . . . .

                       I come from . . . .

Wo wohnen Sie?   Ich wohne in . . . .

                       I live in . . . .

Fill in the gaps as if you were Wolfgang Klose.

8

Now read the story again. Match a name from the list in the box below with each
phrase, according to who said it. The first one has been done for you.

Bitte ordnen Sie zu.

> Frau Klein   ~~Karin~~   Wolfgang   Frau Klein
> Wolfgang   Herr Stein   Frau Klein

1   „Das sind Herr Stein und Frau Klein.“   Karin

2   „Hallo, wie geht’s?“   _____

3   „Woher kommen Sie, Herr Klose?“   _____

4   „Ich komme aus München.“   _____

5   „Wir kommen aus Leverkusen.“   _____

6   „Ein Pils und ein Glas Wein, bitte.“   _____

7   „Rotwein oder Weißwein?“   _____

9 In the story the customers order *Pils* und *Weißwein*. Work through the list of cold drinks sold at Café Einklang below. If you are not sure what they all are, guess first, then look them up in the vocabulary section at the end of the book to see whether you've got them right.

Bitte lesen Sie.

Pils	0,3	DM 4,20
Kölsch	0,3	DM 4,20
Weizenbier	0,5	DM 6,00
Rotwein	0,2	DM 7,50
Weißwein	0,2	DM 7,50
Mineralwasser	0,2	DM 3,50
Orangensaft	0,2	DM 4,00
Apfelsaft	0,2	DM 3,50
Korn	2 cl	DM 4,50

  10 Now listen to the next extract on the activities cassette. You will hear some more conversations which took place at the café this morning. Fill in the names of the drinks that people order.

Bitte hören Sie und schreiben Sie.

Wolfgang Klose Guten Morgen.

Fritz Sievers Guten Morgen. Zwei . . . . . . und zwei . . . . . . , bitte.

Petra Keuner Hallo, ein Glas . . . . . . , bitte.

Erich Waigel 'n Morgen. Ein . . . . . . , bitte. Sind Sie der neue Kellner?

Wolfgang Klose Ja.

Erich Waigel   Wie ist Ihr Name?

Wolfgang Klose   Ich heiße Wolfgang Klose.

Erich Waigel   Freut mich. Ich heiße Waigel, ich bin hier immer am Sonntag vormittag.

Sabine Beier   Ein Glas . . . . . . und ein Glas . . . . . . , bitte.

Pronouncing German vowels

Many of the words and names you have met in this session contain two vowels in a row. It is useful to know how to say them in German, since you can then predict how to pronounce other words or expressions such as *Frau* or *freut mich* just from their spelling. Note how you say *ei* (as in *Wein*) and *ie* (as in *Bier*). Here is a list with some examples.

EI, EY, AI, AY	W**ei**n, Café **Ei**nklang, Karin M**ey**er, Herr W**ai**gel, B**ay**ern
IE	W**ie**? B**ie**r, Herr S**ie**vers, R**ie**sling
AU	H**au**s, M**au**s, **au**s, ich komme **au**s **Au**gsburg
EU, ÄU	fr**eu**t mich, n**eu**, Frau L**eu**th**äu**ser

Now turn to your activities cassette where you will practise some of these sounds. Speak along as you hear the German words.

Bitte sprechen Sie nach.

Nachmittag

Café Einklang is a popular place and does a brisk trade in food of all sorts. There is a particularly heavy demand for their speciality, home-made cakes.

Key points

- understanding personal details
- using regular verbs
- ordering coffee and cakes and some other food
- practising your pronunciation

| 12 | Do you remember what the café guests said? Don't look at the picture! Mark the four correct phrases with a cross. |

Bitte kreuzen Sie an.

1   Mein Name ist Söderbaum.   ❏

2   Das ist meine Tochter Saskia.   ❏

3   Das ist mein Sohn Jan.   ❏

4   Eine Tomatensuppe und ein Käsebrot.   ❏

5   Eine Tomatensuppe und ein Steak, bitte.   ❏

6   Wo sind die Toiletten?   ❏

7   Eine Gemüscpizza mit Salat, bitte.   ❏

13 In the picture on page 18 you saw Familie Söderbaum, Frau Evans, Frau Pahl, Herr Heissendörfer and Herr Hueber, who are spending Sunday lunchtime at Café Einklang. Below are some details about them. Read the descriptions and try to find out where they all live, where they come from, what their jobs are and which companies they work for. Then fill in the table below.

Lesen Sie und schreiben Sie.

Familie Söderbaum

Herr Söderbaum ist Elektroingenieur und arbeitet bei der Firma Futura Elektronik GmbH. Frau Söderbaum ist Maschinenbau-Ingenieurin und arbeitet zwei Tage in der Woche bei der Firma Kölln und Gruber KG. Die Söderbaums haben zwei Kinder: Saskia ist acht, und Jan ist drei Jahre alt. Sie wohnen in Elberfeld im Zentrum von Wuppertal. Frau Söderbaum ist in Wuppertal geboren, Herr Söderbaum kommt aus Hamburg.

Frau Evans

Frau Evans wohnt auch in Wuppertal. Sie ist eine Kollegin von Herrn Söderbaum. Sie arbeitet als Sekretärin bei der Firma Futura Elektronik. Sie kommt aus Wales.

ursprünglich
originally

Herr Hueber

Herr Hueber wohnt in Wuppertal-Barmen und arbeitet in Düsseldorf. Er ist Reporter und kommt ursprünglich aus Süddeutschland.

Frau Pahl und Herr Heissendörfer

Frau Pahl und Herr Heissendörfer wohnen in Remscheid, aber Frau Pahl arbeitet in Wuppertal. Sie ist Hotel-Rezeptionistin, und er ist Taxifahrer. Frau Pahl kommt aus Wuppertal, Herr Heissendörfer aus Duisburg.

	wohnt in	kommt aus	ist	arbeitet bei
Herr Söderbaum	Wuppertal-Elberfeld	Hamburg	Elektroingenieur	Futura Elektronik GmbH
Frau Söderbaum				
Frau Evans				
Herr Hueber				—
Frau Pahl				—
Herr Heissendörfer				—

WISSEN SIE DAS?

You may have noticed that the names of German companies are followed by abbreviations, such as AG. These have similar meanings to their English counterparts, but are not exactly the same.

AG   Aktiengesellschaft   similar to 'plc'

GmbH   Gesellschaft mit beschränkter Haftung   similar to 'Ltd'

KG   Kommanditgesellschaft   a partnership in which only one of the partners has unlimited liability

Using regular verbs

You may have noticed that verbs in German have different endings depending on the subject of the sentence. Here are some examples used in *Café Einklang*.

> Ich komme aus Düsseldorf.
>
> Herr Hueber kommt aus Süddeutschland.
>
> Woher kommen Sie, Herr Klose?
>
> Wir kommen aus Leverkusen.

Below you will find the full conjugation of three regular verbs (*wohnen, kommen, arbeiten*).

You probably already know that there are different ways of saying 'you' in German. In this book you have only come across *Sie* so far. *Sie* is more formal than *du* or *ihr*. You will learn about when to use *du* and *ihr* later.

In the infinitive form most verbs end in -*en*. When you want to use a verb with a subject, you knock off the -*en* and add the appropriate ending as shown in the table.

	wohnen	**kommen**	**arbeiten**
ich (*I*)	wohne in Frankfurt	komme aus Bayern	arbeite bei Ferrero
du (*you*, informal, singular)	wohnst in London	kommst aus England	arbeitest nicht
er (*he*), **sie** (*she*), **es** (*it*)	wohnt inWuppertal	kommt aus Köln	arbeitet im Café
wir (*we*)	wohnen in München	kommen aus Wien	arbeiten zuviel
ihr (*you*, informal, plural)	wohnt in Wuppertal	kommt aus Berlin	arbeitet im Hotel
Sie (*you*, formal, singular and plural)	wohnen in Redcar	kommen aus York	arbeiten bei ICI
sie (*they*)	wohnen in Mannheim	kommen aus Bonn	arbeiten bei BASF

Note that *Sie* with a capital *S* means 'you', *sie* with a small *s* can mean either 'she' or 'they'.

Note also that verbs with a *d* or *t* sound at the end of their stem, such as *arbeiten*, take an additional -*e*- sometimes before the ending; this makes pronunciation easier.

14 Now read this letter which Wolfgang Klose has written to a former colleague, Herr Drexler. Fill in the gaps with the most suitable verb from the box below, with its correct ending.

Bitte schreiben Sie.

> kommen arbeiten kommen arbeiten
> kommen wohnen arbeiten

Besitzer owners

Familienbetrieb family business

Lieber Herr Drexler,

Lange nichts gehört. Wie geht's? Ich . . . . seit heute in einem Café in Wuppertal: Café Einklang. Ich glaube, die Arbeit ist nicht schlecht und die Besitzer sind okay. Frau Meyer-Sert . . . . . . aus Wuppertal, die Eltern . . . . . . seit 40 Jahren in Elberfeld und Herrn Serts Vater . . . . . aus Istanbul. Karins Bruder . . . . . . auch im Café. Ein richtiger Familienbetrieb! Und Sie? . . . . . . Sie noch im Hilton? Wenn Sie mal ins Café Einklang . . . . . ., trinken wir ein Bier.

Bis dann

Wolfgang Klose

15 Wolfgang has written to invite his former colleague for a beer at Café Einklang, but on Sunday afternoon, people are much more likely to drink coffee and eat cake. Read the story below and look at the menu. Which kind of cake on the menu is *not* mentioned in the story?

Bitte lesen Sie.

Nachmittags gibt es Kaffee und Kuchen im Café Einklang. Die Köchin, Frau Kleinert, backt jeden Morgen: Apfelkuchen, Schokoladentorte, Streuselkuchen, Käsekuchen, Obsttorte …
Wolfgang und Karin haben wieder viel zu tun: „Ein Stück Apfelkuchen mit Sahne, bitte! Und einmal Streuselkuchen ohne Sahne!" „Und zu trinken?" „Eine Tasse Kaffee, bitte. Und ein Kännchen Tee, bitte." „Mit Milch?" „Nein, mit Zitrone." „Und für Ihre Tochter?" „Eine heiße Schokolade." Um vier Uhr kommen Karins Eltern in das Café.
„Wo sind denn die Kinder, Mutti?" fragt Karin. „Ach, Sie haben Kinder?" fragt Wolfgang. „Ja – wir haben einen Sohn, David, und eine Tochter, Miriam. David ist sieben Jahre alt, und Miriam ist vier."

Café Einklang

Kaffee und Kuchen im Café Einklang

Kaffee
Tasse DM 3,10
Kännchen DM 6,20

Tee (Milch o. Zitrone)
Glas DM 3,10
Kännchen DM 6,20

Heiße Schokolade DM 4,-

Apfelkuchen DM 3,50
Streuselkuchen DM 3,50
Käsekuchen DM 4,-
Schokoladentorte DM 4,50
Schwarzwälder Kirschtorte DM 5,-
Obsttorte DM 4,-

Portion Sahne DM 0,80

16 Now check whether you have understood the story. Decide whether the sentences below are true or false. Put a cross in the box in the appropriate column and correct the sentences if they are false. The first one has been done for you.

Bitte kreuzen Sie an.

		richtig	falsch
1	Am Nachmittag gibt es Tee und Sandwiches. Am Nachmittag gibt es **Kaffee und Kuchen.**	❑	☒
2	Frau Kleinert ist die Sekretärin.	❑	❑
3	Ein Gast bestellt Apfelkuchen mit Sahne.	❑	❑
4	Die Leute trinken Tee, Kaffee und heiße Schokolade.	❑	❑
5	Karins Eltern kommen um fünf.	❑	❑
6	Karin hat drei Kinder.	❑	❑

Pronouncing *ch*

There are two different ways of pronouncing *ch* in German. One is a hard sound produced at the back of your throat, similar to the Scottish 'loch'. This is used when the *ch* follows the letters *a, o* or *u* (for example in *Kuchen*). In all other cases (when *ch* follows *e, i, ä, ö, ü, eu* and any consonants) *ch* is a much softer sound produced at the front of your mouth, a bit like the first 'h' in the name 'Hugh', for example in *ich möchte*).

 5

17

Now practise the *ch* sound by repeating the words you hear on the cassette.

Bitte sprechen Sie nach.

18

So how much coffee do people actually drink in Germany? You can find out from this short article. You don't need to understand every word to extract the information you need to complete the English sentences below.

Bitte lesen Sie und schreiben Sie.

Verbrauch
consumption

pro Kopf per capita

Auch 1994 war Kaffee wieder das beliebteste Getränk in Deutschland. Der Kaffeekonsum in Deutschland beträgt 169 Liter pro Kopf pro Jahr. Der meiste Kaffee wird zum Fruhstuck getrunken. 89 Prozent aller Kaffeetrinker beginnen den Tag mit einer oder mehreren Tassen Kaffee. Am Nachmittag trinken 76 Prozent der Kaffeetrinker ihr Lieblingsgetränk. Aber nur 9 Prozent aller Kaffeetrinker trinken auch eine Tasse bevor sie ins Bett gehen.

Kaffee: Beliebteste Getränke

Getränk	Verbrauch (l/pro Kopf)
Kaffee	169
Bier	140
Mineralwasser	97
Erfrischungsgetränke	90
Milch	82
Fruchtsäfte	40
Tee	22
Wein	18
Spirituosen	7
Kaffeemittel	6
Sekt	5

Stand: 1994; Quelle: Ifo-Institut

1   In 1994 the most popular drink in Germany was . . . . Germans drink on average . . . . . . litres of . . . . . . per year.

2   89% of coffee drinkers in Germany have coffee . . . .

3   76% of coffee drinkers in Germany have coffee . . . .

4   Only 9% of coffee drinkers in Germany have coffee . . . .

. . . . . . Abend

Irfan's brand new computer system is waiting to be unpacked – it's a lot more complicated than the old one …

Thomas and Wolfgang are getting to know each other.

Key points

- practising *der, die, das* and *ein, eine*
- using a dictionary
- using *sein*
- checking personal details
- practising numbers from 1 to 20

Der neue Computer ist da. Der Drucker, die Maus, das Kabel, die Disketten…

Eine Maus?

PC Markt

Kunde: Irfan Sert
Auftrag: PC102/17/98

Ihre Checkliste

☐ CPU
☐ Monitor
☐ Tastatur + Kabel
☐ Maus
☐ Drucker + 2 Kabel
☐ Handbuch + Start-Diskette
☐ 10 Disketten (1,4 MB)

19 Choose words from the list to label these computer components.

Bitte schreiben Sie.

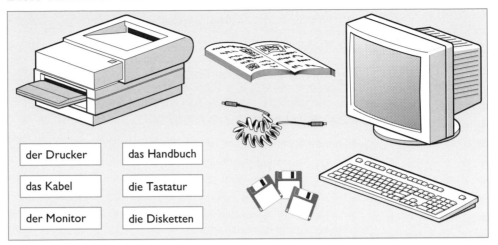

der Drucker	das Handbuch
das Kabel	die Tastatur
der Monitor	die Disketten

Using *der, die, das* and *ein, eine*

All German nouns have a gender, that is, they are either masculine, feminine or neuter. The article in front of the noun is different according to its gender.

Type of noun	Article	Examples	
Masculine	der *or* ein	*der* Computer	*ein* Computer
Feminine	die *or* eine	*die* Maus	*eine* Maus
Neuter	das *or* ein	*das* Kabel	*ein* Kabel
Plural	die	*die* Disketten	

In some cases the gender of the noun is predictable – for *die Frau*, for example – but not always. Try to learn the gender when you learn the noun and say it out loud. Whenever you read or listen to the German language, you will see and hear nouns used in context; this will also help you to remember genders.

Plural nouns all have the same definite article (there is no plural of 'a').

---

20 Listen to this dialogue between Irfan Sert and the cook, Frau Kleinert, who is not at all familiar with computers. Then fill in the gaps with *der, die, das* or *ein, eine*. The first one has been done for you.

Bitte hören Sie und schreiben Sie.

Frau Kleinert   Was ist das, Herr Sert?

Irfan Sert   Das ist *eine* Computermaus.

Frau Kleinert   Ah.

Irfan Sert   Der neue Computer ist im Büro – hier! Das ist . . . . . . Drucker. Vorsicht, Frau Kleinert – . . . . . . Kabel!

Frau Kleinert Und was ist das?

Irfan Sert Das ist . . . . . . Diskette, und das hier ist . . . . . . Tastatur. Aber wo ist . . . . . . Handbuch?

Frau Kleinert Äh, da ist . . . . . . Buch im Karton.

Irfan Sert Ach ja, vielen Dank.

Using your dictionary

All the vocabulary you need to understand *Café Einklang* is provided either with the text or, more usually, in the vocabulary section at the back of the book. Sometimes, however, you might want to look something up in a dictionary. Don't just look up the meaning (or meanings) of a word: if it is a noun, find the gender and the plural form as well. German nouns can form the plural in different ways, for example:

eine Diskette   zwei Disketten

ein Kabel   zwei Kabel

ein Handbuch   zwei Handbücher

In your dictionary you may find entries like this:

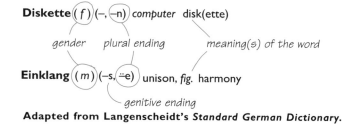

Adapted from Langenscheidt's *Standard German Dictionary*.

---

21 Look up the meanings, genders and plurals of the following items, all of which can be found at Café Einklang. The first one has been done for you.

Bitte schreiben Sie.

Artikel		Plural	Englisch
der	Stuhl	die Stühle	chair
_____	Tasse	_____	_____
_____	Kännchen	_____	_____
_____	Tisch	_____	_____
_____	Löffel	_____	_____
_____	Besteck	_____	_____
_____	Teller	_____	_____
_____	Glas	_____	_____
_____	Zapfhahn	_____	_____
_____	Tablett	_____	_____
_____	Katze	_____	_____

Numbers from 1 to 20

Some numbers have already been included in extracts on the activities cassette. Here are all the numbers from one to twenty.

0	null	7	sieben	14	vierzehn
1	eins	8	acht	15	fünfzehn
2	zwei	9	neun	16	sechzehn
3	drei	10	zehn	17	siebzehn
4	vier	11	elf	18	achtzehn
5	fünf	12	zwölf	19	neunzehn
6	sechs	13	dreizehn	20	zwanzig

Note that *eins* becomes *ein/eine* in front of nouns – it's the indefinite article. *Ein Computer* can mean both 'a computer' and 'one computer'.

 22

Listen to your cassette and say the numbers out loud.

Bitte sprechen Sie nach.

23

The café is closed and Irfan is busy with his computer. Find out what else is going on by reading the story and answering the questions below.

Bitte lesen Sie und beantworten Sie die Fragen.

die Küche kitchen

der Lebenslauf CV (curriculum vitae)

berufstätig working, in employment

Semesterferien (pl) university holidays

der/die Verkäufer/in shop assistant

wer? who?

• •

Es ist schon sehr spät. Irfan ist immer noch im Büro. Er installiert die Software. Karin kommt herein und bringt Wolfgangs Lebenslauf. „Funktioniert der Computer?" „Noch nicht," sagt Irfan. „Es ist nicht so einfach." Thomas und Wolfgang sitzen in der Küche und trinken ein Bier. Thomas fragt: „Haben Sie Familie?" „Ja, meine Frau und ich haben zwei Kinder. Mein Sohn ist im Moment Hausmann, und meine Tochter arbeitet als Verkäuferin." „Ist Ihre Frau berufstätig?" „Ja, sie ist Sekretärin. Und Sie? Arbeiten Sie jeden Tag hier?" „Oh nein", antwortet Thomas. „Ich bin Student. Ich arbeite nur in den Semesterferien im Café."

• •

1 Wer installiert die Software?   Irfan

2 Wer bringt Wolfgangs Lebenslauf ins Büro?   _____

3 Wer sitzt in der Küche und trinkt Bier?   _____

4 Wer ist verheiratet und hat zwei Kinder?   _____

5 Wer ist Hausmann?   _____

6 Wer ist Verkäuferin?   _____

7 Wer arbeitet nur in den Semesterferien im Café?   _____

24 Now read Wolfgang's CV and compare the information with what you've read in the story above.

Lebenslauf

Name	WOLFGANG KLOSE
Adresse	An der Hardt 13, Wuppertal
Geburtsdatum	12.5.1947
Geburtsort	München
Familienstand	verheiratet
Schule	1957–1964 Realschule Wuppertal-Süd
Ausbildung	1968–1970 Hotelfachschule Düsseldorf
Berufspraxis	1974–1996 Büffettleiter, Hotel Waldhof, Köln
	1970–1973 Kellner, Hotel Waldhof, Köln
	1965–1968 Aushilfskellner, Gasthof zum Löwen, Dormagen
Sonstiges	Führerschein, Klasse 3
	Fernkurs Französisch seit 1995

---

die Realschule secondary school (for ages 10-16)

der Aushilfskellner temporary waiter

der Führerschein, Klasse 3 driving licence for a car (as opposed to a driving licence for a motorbike – *Klasse 1* – or a lorry – *Klasse 2*)

der Fernkurs correspondence course

Identify the source of the information below: is it in the story (*Geschichte*) or in the CV (*Lebenslauf*)?

Bitte kreuzen Sie an.

		Geschichte	Lebenslauf
1	Wolfgang Klose ist verheiratet.	☒	☒
2	Wolfgang Kloses Frau ist Sekretärin.	☐	☐
3	Er hat zwei Kinder.	☐	☐
4	Er wohnt in Wuppertal.	☐	☐
5	Er ist Kellner.	☐	☐
6	Er ist 1947 in München geboren.	☐	☐
7	Er lernt Französisch.	☐	☐

sein (to be)

ich bin

du bist

er, sie, es ist

wir sind

ihr seid

Sie sind

sie sind

Using *sein*

„Ich **bin** Student", „sie **ist** Sekretärin"… Some German verbs do not follow the pattern described on page 20 for regular verbs. These are known as irregular verbs. Some of the more common irregular verbs will be presented in this book alongside the main text. Here is the first one: *sein* (to be).

„Sein oder Nichtsein – das ist hier die Frage …" (Shakespeare: *Hamlet*)

---

25 Fill in the gaps in the following sentences using the correct form of *sein*.

Bitte schreiben Sie.

I Wolfgang Klose . . . . . . Kellner. Er . . . . . . verheiratet und hat zwei Kinder.

2 Wolfgang Kloses Tochter . . . . . . Verkäuferin.

3 Was . . . . . . Sie von Beruf? Ich . . . . . . Student.

4 David und Miriam – wo . . . . . . ihr?

5 Herr und Frau Meyer-Sert . . . . . . im Büro.

6 Am Telefon: Hallo, Mutter. Wie geht's? Wir . . . . . . hier im Café Einklang …

7 Wo . . . . . . du, Irfan? – Hier, im Büro.

26 Now find two phrases in the box below to describe each of the main characters at Café Einklang. The first one about Wolfgang Klose has been done for you. Then write as many sentences as you can about yourself.

Bitte schreiben Sie.

~~1947 geboren~~
die Kinder von Karin und Irfan
~~Kellner im Café Einklang~~
Karins Bruder
sieben und vier Jahre alt
mit Irfan verheiratet
Student
Computerfan
der Vater von David und Miriam
die Mutter von David und Miriam

I Wolfgang Klose ist Kellner im Café Einklang. Er ist 1947 geboren.

2 Irfan Sert

3 Karin Meyer-Sert

4 Thomas Meyer

5 David und Miriam

6 Ich

27

The Meyer-Serts' children are called David and Miriam, names which are found in both Turkey and Germany. In the next activity you will practise spelling names. To prepare yourself listen to your cassette and repeat the alphabet.

Bitte hören Sie und sprechen Sie nach.

A B C D E F G H I J K L M N O P Q R S T U V W X Y Z Ä Ö Ü ß

 28

Which are the most popular first names for children born in Germany in the mid-nineties? Read the list of *Vornamen* for *Mädchen* (girls) and *Jungen* (boys). You will hear some of them on your tape. Spell them out in the pauses. The first one is shown here in full.

Bitte sprechen Sie.

>   Sie hören (*you hear*): Meine Tochter heißt Laura.

>   Sie sagen (*you say*):   Das ist L A U R A.

>   Sie hören (*you hear*): Das ist L A U R A.

Vornamen: Rangliste 1994		
Rang	**Westdeutsch.**	**Ostdeutsch.**
Mädchen		
1	Julia	Lisa
2	Katharina	Maria
3	Maria	Julia
4	Laura	Anne/Anna
5	Anna	Sarah
6	Lisa	Franziska
7	Sarah	Jessica
8	Vanessa	Sophie
9	Jessica	Laura
10	Franziska	Jennifer
Jungen		
1	Alexander	Philipp
2	Daniel	Maximilian
3	Maximilian	Paul
4	Christian	Kevin
5	Lukas	Sebastian
6	Tobias	Florian
7	Kevin	Felix
8	Marcel	Tobias
9	Philipp	Max
10	Sebastian	Alexander

Quelle: Gesellschaft für Deutsche Sprache (Wiesbaden)

If you listen to the *Thema 1* on your independent listening tape, you will hear how people from Wuppertal introduce themselves.

Rudolf Steinmetz:
Konjugation

Ich gehe
du gehst
er geht
sie geht
es geht.

Geht es?

Danke – es geht.

Checkliste

Now you can

- say 'hello' and 'good-bye'
  (*Vormittag* page 13)
- introduce yourself and others
  (*Vormittag* page 13)
- understand personal details
  (*Nachmittag* page 19)
- order drinks and snacks (*Vormittag* page 16
  and *Nachmittag* page 18 and 22)
- use a regular verb like *wohnen*
  (*Nachmittag* page 20)
- use *der, die* and *das* and *ein, eine*
  (*Abend* page 25)
- use your dictionary to find out about
  meanings, genders and plurals
  (*Abend* page 26)
- use numbers up to 20 (*Abend* page 27)
- use the irregular verb *sein* (*Abend* page 29)
- spell out names (*Abend* page 30)

. . . . . # Testaufgaben

Work through these short tests which summarise what you have covered in *Sonntag*.

A	Read the following German sentences and then put a cross against the most suitable reply. The first one has been done for you.

1 Guten Morgen.

    a Guten Abend. ❏

    b Das ist Herr Schmidt. ❏

    c Guten Morgen. ☒

2 Wie geht es Ihnen?

    a Gut, danke. ❏

    b Meyer-Sert. ❏

    c Wie geht es Ihnen? ❏

3 Guten Tag, mein Name ist Söderbaum.

    a Es geht. ❏

    b Freut mich. ❏

    c Das ist schön. ❏

4 Haben Sie Kinder?

    a Nein, nur Streuselkuchen. ❏

    b Ja, eine Tochter. ❏

    c Nein, ich bin verheiratet. ❏

5 Wo arbeitet Ihre Frau?

    a Er arbeitet nicht. ❏

    b Bei der Firma Solms GmbH. ❏

    c Sie ist in Wuppertal. ❏

6 Woher kommen die Meyers, Karins Eltern?

    a Sie wohnt in Wuppertal. ❏

    b Sie arbeiten in Wuppertal. ❏

    c Sie sind in Wuppertal geboren. ❏

B Fill in the correct form of the verb *wohnen* in the following sentences, as in the first example.

1 Ich *wohne* in Leverkusen.

2 Meine Kinder . . . . . . in London bei ihrem Vater.

3 Herr Klose . . . . . . in Wuppertal.

4 Wo . . . . . . Sie?

5 . . . . . . die Söderbaums auch in Wuppertal?

6 Seit wann . . . . . . ihr in Köln?

C Now fill in the words that are missing.

1 Ein . . . . . . Apfelkuchen, bitte.

2 Und ein . . . . . . Kaffee.

3 Ja, ich bin . . . . Meine Frau kommt auch aus Wuppertal.

4 Wolfgang Klose ist . . . . . . von Beruf.

5 Das ist mein neuer Computer mit Laser-. . . . . . .

Montag

· · · · · Morgen

The morning rush hour is in full swing and breakfast orders are coming in thick and fast.

Key points

- ordering and paying for food and drink
- learning numbers 20 – 1 000 000 000 000

FRÜHSTÜCKSKARTE

Wir servieren Frühstück ab 8 Uhr. Sonntags und
Feiertags ab 10 Uhr. Dienstags ist unser Café
geschlossen.

Das Café Einklang Frühstück

1 Brötchen, 1 Scheibe Vollkornbrot, 1 Croissant, Butter, Marmelade, Honig, Schinken oder Käse, Quark, Ei, Glas Orangensaft, Kaffee, Tee oder Schokolade	DM 17,90

Kombinieren Sie selbst

Portion Butter	DM 1,-
Portion Marmelade oder Honig	DM 1,-
Brötchen	DM 1,-
Brot oder Vollkornbrot	DM 1,-
Croissant	DM 2,-
gekochtes Ei	DM 2,-
Schinken oder Käse oder Wurst	DM 2,50
2 Spiegeleier oder 2 Rühreier	DM 4,-
Portion Quark oder Joghurt, natur	DM 2,-
Müsli mit Milch oder Joghurt	DM 5,-

I

Wolfgang is taking a breakfast order to a customer.
Look at the picture. What did the customer order?

Bitte kreuzen Sie an.

1   eine Scheibe Vollkornbrot,
    ein Croissant, zwei
    Spiegeleier,
    ein Kännchen Kaffee ☐

2   ein Brötchen mit
    Marmelade, ein gekochtes
    Ei, eine Portion Quark, ein
    Kännchen heiße Schokolade ☐

3   ein Brötchen mit Marmelade, eine Scheibe
    Vollkornbrot, ein gekochtes Ei, ein Kännchen Kaffee ☐

Ordering food

How do you order food?

Ich möchte Ich nehme Ich hätte gern	eine Scheibe Vollkornbrot mit Schinken ein Brötchen mit Marmelade Müsli mit Joghurt Tee mit Zitrone ein Ei/zwei Eier

Alternatively, you can just add *bitte* to what you want to order:
„Ein Kännchen Kaffee, bitte."

 2

Now it's your turn to practise ordering breakfast. You can prepare your answers beforehand by checking the words on the breakfast menu. On your cassette you will hear the waiter ask what you would like. Speak in the pause after each question. You will then hear a model answer.

Bitte sprechen Sie.

1 Ich möchte …

   (a bread roll with jam and honey and a cup of coffee)

2 Ich nehme …

   (a slice of wholemeal bread with cheese and a boiled egg)

3 Ich hätte gern …

   (the Café Einklang breakfast with ham and with tea and without orange juice)

4 Ich möchte …

   (two breadrolls with butter, two scrambled eggs and a pot of hot chocolate)

3 It's 11 o'clock and the customers have finished eating breakfast. Many of them are ready to pay. Read the story and put a cross next to the correct responses underneath.

Bitte lesen Sie und kreuzen Sie an.

• •

Um elf Uhr gehen die letzten Frühstücksgäste: „Zahlen bitte!" Wolfgang schreibt die Rechnung. „Also, einmal Rührei und Orangensaft: das macht 8 Mark. Und zwei Brötchen, Käse, Schinken und Wurst: das macht 9 Mark." „Ja, und eine Tasse Tee und ein Kännchen Kaffee." „Eine Tasse Tee: 3 Mark und ein Kännchen Kaffee 6 Mark." „Was macht das zusammen?" fragt der Gast. „Das macht 620

Mark." antwortet Wolfgang. „Wie bitte? Was macht das?" Der Gast ist schockiert. „Oh, Entschuldigung, 26 Mark." „Ah, ist gut, hier bitte, 27 Mark. Stimmt so." „Vielen Dank." Wolfgang bringt das Geschirr in die Küche. „Haben Sie Hunger?" fragt Karin. „Wir machen jetzt eine halbe Stunde Pause. Frühstücken Sie mit uns?" „Ja gern", antwortet Wolfgang. „Ich brauche eine Tasse Kaffee."

brauchen   to need

• •

I   What would you say if you wanted to pay?

    a   Ja bitte?   ❏   **b**   Zahlen bitte!   ❏

2   What would you say if you hadn't understood something?

    a   Wie bitte?   ❏   **b**   Ich bin schockiert.   ❏

3   What would you say if you wanted to know how much it is?

    a   Was macht das?   ❏   **b**   Wie bitte?   ❏

4   What would you say if you wanted to apologize?

    a   Ah, ist gut.   ❏   **b**   Entschuldigung.   ❏

5   What would you say if you wanted to leave a tip?

    a   Stimmt so!   ❏   **b**   Vielen Dank!   ❏

Paying and asking how much

How do you ask for the bill?

Zahlen, bitte!

Ich möchte zahlen, bitte./Wir möchten zahlen, bitte.

Wir zahlen zusammen/getrennt.

Die Rechnung, bitte!

How do you ask how much you have to pay?

Was macht das?

Was macht das zusammen?

How do you say there is a mistake?

Entschuldigung, ist das korrekt?/Ist das richtig?

Das macht zusammen 25 Mark, nicht 28 Mark.

In a German café, pub or restaurant, the waiter would normally expect a tip, *ein Trinkgeld*, which might be around 10%. You don't just leave money on the table when you leave, but give the tip to the waiter while paying. If you are handing over the right amount plus about 10% you can say *Stimmt so* or *Der Rest ist für Sie*. Alternatively, you can say how much you want to pay including the tip; for example, if the bill comes to 18 DM, you might hand over a 50 DM note (*einen 50-Mark-Schein*), and say *20 Mark, bitte*.

4 Put the words below in the right order so that they form sentences; then read them out loud.

Bitte ordnen Sie.

1 Rechnung, bitte Die.

2 wir zahlen. möchten Entschuldigung,

3 das zusammen, macht Was bitte?

4 Mark Dreißig, Rest ist der Sie für.

5 Entschuldigung, zusammen macht das dreißig Mark, vierzig Mark nicht.

Numbers 20 – 1 000 000 000 000

20 zwanzig	60 sechzig
21 einundzwanzig	70 siebzig
22 zweiundzwanzig	80 achtzig
23 dreiundzwanzig	90 neunzig
24 vierundzwanzig	100 hundert (einhundert)
25 fünfundzwanzig	200 zweihundert
26 sechsundzwanzig	395 dreihundertfünfundneunzig
27 siebenundzwanzig	1000 tausend (eintausend)
28 achtundzwanzig	10 000 zehntausend
29 neunundzwanzig	100 000 hunderttausend (einhunderttausend)
30 dreißig	1 000 000 eine Million
40 vierzig	1 000 000 000 eine Milliarde
50 fünfzig	1 000 000 000 000 eine Billion

5

Now listen to your cassette to find out how these numbers are pronounced. Speak along with the cassette.

Bitte sprechen Sie nach.

6

Now write out the prices below in words as if you were completing a eurocheque (a widely accepted method of payment in Germany). The first two have been done for you.

Bitte schreiben Sie.

1	DM 39,–	Neununddreißig Mark
2	DM 50,80	Fünfzig Mark achtzig
3	DM 93,–	_____
4	DM 44,–	_____
5	DM 72,–	_____
6	DM 65,50	_____
7	DM 22,75	_____
8	DM 35,98	_____
9	DM 12,20	_____
10	DM 190,–	_____
11	DM 320,75	_____

 7

Now it's your turn to ask for the bill and query prices. Listen to the English prompts, then speak in the pauses. Look first at the example (*Beispiel*) below.

Sie hören:	I'd like the bill, please.
Sie sagen:	Die Rechnung, bitte.
Sie hören:	Die Rechnung, bitte.

Bitte sprechen Sie.

· · · · · Mittag

Turkish, English, German – you can hear quite a few languages at Café Einklang since both the owners and the customers come from other countries apart from Germany.

Key points

- talking and asking about the family
- practising the accusative case
- saying what languages you speak

Frau Williams und Herr Niemeyer

Herr Catt und Herr Rohrer

Computer: Bestand weltweit 1994	
Land	**Computer (Mio.)**
USA	74,2
Japan	12,2
Deutschland	10,2
Großbritannien	9,4
Frankreich	7,4
Kanada	5,2
Italien	4,4
Australien	3,4
Spanien	3,1
Niederlande	2,1

Quelle: Computerwoche, 29.7.1994

8 Complete the sentences below by marking the correct ending with a cross.

Bitte kreuzen Sie an.

1 Herr Niemeyer

    a ist Programmierer. ☐   **b** ist Exportleiter. ☐

2 Herr Niemeyer

    a spricht Italienisch. ☐   **b** spricht nicht Italienisch. ☐

3 Herr Catt ist

    a verheiratet. ☐   **b** nicht verheiratet. ☐

4 Frau Catt kommt

    a aus England. ☐   **b** aus Schottland. ☐

5 Herr Rohrer hat

    a drei Kinder. ☐   **b** keine Kinder. ☐

6 Herr Rohrer ist

    a verheiratet. ☐   **b** geschieden. ☐

Exchanging personal information

How do you describe and discuss families?

Ich bin	verheiratet. nicht verheiratet/ledig. geschieden. verwitwet.	Und Sie? Sind Sie verheiratet?

Wir leben getrennt.
Ich habe einen Freund/eine Freundin. Wir leben zusammen.

Ich habe	einen Sohn. eine Tochter. ein Kind. zwei Kinder zwei Söhne/zwei Töchter. keine Kinder.	Und Sie? Haben Sie Kinder?

Ich bin Meine Kinder sind Mein Sohn ist Meine Tochter ist	… Jahre alt.	Und wie alt	sind Sie? sind Ihre Kinder? ist Ihr Sohn? ist Ihre Tochter?

9 Make sure you understand the expressions above to do with exchanging personal information. Look up anything you don't understand in the vocabulary section. Then match up the questions below with the right answers.

Bitte ordnen Sie zu.

1	Sind Sie verheiratet?	a	Sie ist elf Jahre alt.
2	Haben Sie Kinder?	b	Nein, ich bin ledig.
3	Wie alt ist Ihre Tochter?	c	Ja, ich habe einen Sohn und eine Tochter.
4	Wie alt ist Ihr Sohn?	d	Nein, wir sind nicht geschieden, aber wir leben getrennt.
5	Sind Sie geschieden?	e	Er ist fünf Jahre alt.
6	Wie alt sind Ihre Kinder?	f	Mein Sohn ist 20, und meine Tochter ist 23 Jahre alt.

10 Now it's your turn to talk about people and their families. Listen to the English prompts and speak in the pauses.

haben (to have)

ich habe
du hast
er, sie, es hat
wir haben
ihr habt
Sie haben
sie haben

Bitte sprechen Sie.

Sie hören: The Meyer-Serts have two children.

Sie sagen: Die Meyer-Serts haben zwei Kinder.

Sie hören: Die Meyer-Serts haben zwei Kinder.

Using the accusative case

In Activity 9 one of the answers was *Ja, ich habe einen Sohn und eine Tochter.* In this sentence, *ich* is the subject and *einen Sohn* and *eine Tochter* are the direct objects of the verb. They are in what is called the accusative case. You will have noticed that the indefinite article – **einen** *Sohn* – changes when the masculine noun it is attached to is the direct object, rather than the subject of the sentence. Both the definite article (*der*) and the indefinite article (*ein*) change in the accusative case for masculine nouns. Articles for feminine and neuter nouns do not change in the accusative case.

Ich nehme **den** Orangensaft.   Ich habe **einen** Sohn.
Ich nehme **die** Gemüsepizza.   Ich habe **eine** Tochter.
Ich nehme **das** Käsebrot.   Ich habe **ein** Kind.

Here are some more examples:

Die Firma Futura Elektronik GmbH macht **einen** Gewinn von DM 950 000 pro Jahr.

Irfan installiert **den** Drucker.

Wolfgang Klose hat **den** Führerschein Klasse 3.

der Gewinn   profit

Here is a summary of German articles for subjects and direct objects.

	Subject (nominative case)		Direct object (accusative case)	
Masculine	der	ein	**den**	**einen**
Feminine	die	eine	die	eine
Neuter	das	ein	das	ein
Plural	die	–	die	–

11 Fill in the correct article in the sentences below.

Bitte schreiben Sie.

1 Herr Söderbaum hat . . . . . . Sohn und . . . . . . Tochter.

2 „Ich habe . . . . . . Kind. Es ist 6 Monate alt."

3 Irfan hat im Büro . . . . . . Computer und . . . . . . Drucker.

4 „Karin, ... Drucker funktioniert nicht!"

5 „Ich nehme . . . . . . Kaffee."

6 „Und ich möchte auch . . . . . . Tasse Kaffee, bitte."

der Umsatz   turnover   7 „Meine Firma hat . . . . . . Umsatz von DM 200 Mio. im Jahr."

  Now listen to business people who are customers at Café Einklang talking about the annual turnover and profit or loss of their companies, then fill in the grid.

Bitte hören Sie und schreiben Sie.

	Umsatz	Gewinn
Futura Elektronik GmbH		
Kölln und Gruber KG		
Prografik AG		
Müller & Co. KG		

13 The lunch-time guests have now left Café Einklang. Thomas and Irfan are in the office. Read the story and write down which languages each person speaks in the table below.

Bitte lesen Sie und schreiben Sie.

• •

Um 14 Uhr wird es ruhig im Café. Thomas sitzt mit Irfan im Büro: „bir - iki - üyç." „Nein, Thomas – das heißt bir - iki - üc." „Wie bitte? Ich verstehe nicht." Wolfgang kommt herein: „Hier die Post – oh Verzeihung, störe ich?" „Nein, nein, Thomas und ich, wir sprechen jeden Nachmittag Türkisch." „Ach", sagt Wolfgang zu Thomas, „Sie sprechen Türkisch?" Thomas lacht. „Nein, ich lerne Türkisch." „Ach, wie interessant! Spricht Ihre Frau auch Türkisch, Herr Sert?" „Ja, Karin spricht sehr gut Türkisch. Und die Kinder sprechen auch gut Türkisch." „Also, ich spreche ein bißchen Französisch", sagt Wolfgang. „Das ist alles. Und Sie?" „Ich spreche Englisch und ein bißchen Italienisch", antwortet Thomas.

Verzeihung sorry

stören to disturb

• •

Thomas	Irfan	Karin	Kinder	Wolfgang
	Türkisch Deutsch			

Talking about languages

How do you say which languages you speak?

Ich spreche	(ein bißchen/gut/sehr gut)	Deutsch.
		Englisch.
		Türkisch.
		Urdu.
		Französisch.
		Italienisch.
		Spanisch.
		Chinesisch.

sprechen (to speak)
ich spreche
du sprichst
er, sie, es spricht
wir sprechen
ihr sprecht
Sie sprechen
sie sprechen

How do you ask what languages other people speak?

Sprechen Sie Englisch?

Spricht Ihre Frau Deutsch?

How do you ask for help with the language?

Wie bitte?

Ich verstehe nicht.

Bitte sprechen Sie langsamer.

14 Look at the sentences below and fill in the missing words, using the English clues in brackets. When you have completed the sentences, read them out loud.

Bitte schreiben Sie.

1 Sprechen Sie . . . . . . ? *(German)*

2 Bitte sprechen Sie . . . . *(more slowly)*

3 Ich spreche . . . . Deutsch. *(a little)*

4 Mein Mann spricht . . . . Türkisch. *(very well)*

5 . . . . . . Ihre Kinder Englisch? *(to speak)*

6 Ich spreche . . . . *(French)*

7 Ich . . . . . . nicht. *(understand)*

8 Sie sprechen . . . . . . Englisch. *(good)*

15 Now use the cassette to practise talking about languages.

Bitte sprechen Sie.

> Sie hören: Say you speak French.
>
> Sie sagen: Ich spreche Französisch.
>
> Sie hören: Ich spreche Französisch.

16 There is a noticeboard at Café Einklang where customers can put up all sorts of advertisements: here are five of them. Read the advertisements, then read the information about the five people listed on the next page. Decide who put which advert on the noticeboard. Write the number of the advertisement next to the right person.

Bitte lesen Sie.

zu verkaufen for sale

nur only

suchen to look for

die Übersetzung (-en) translation

die Wohngemeinschaft shared flat or house

a Frau Gambrini kommt aus Italien. Sie ist verheiratet und hat zwei Kinder. Sie spricht Italienisch, Deutsch und Spanisch.

b Frau Mahler-Dupont kommt aus Hamburg, ihr Mann kommt aus Frankreich. Die Mahler-Duponts wohnen seit 2 Wochen in Wuppertal-Elberfeld.

c Herr Söderbaum wohnt in Wuppertal-Elberfeld. Er ist Ingenieur bei der Firma Futura Elektronik GmbH, aber er arbeitet auch manchmal zu Hause. Seine Frau ist auch Ingenieurin. Die Söderbaums haben gerade einen neuen Computer mit Laserdrucker gekauft.

d Frau Müller ist Medizinstudentin an der Universität Köln. Sie wohnt mit zwei Freundinnen in Wuppertal-Barmen.

e Herr Schwartz arbeitet am Düsseldorfer Flughafen. Er ist 43 Jahre alt und geschieden.

Using possessive adjectives

By now you have come across a number of possessive adjectives such as:

mein	*my*	mein Sohn/meine Tochter
ihr	*your* (formal)	Ihr Sohn/Ihre Tochter
unser	*our*	unser Sohn/unsere Tochter

They take the same endings as the indefinite article *ein*.

---

17 You want to write an advertisement for the Café Einklang noticeboard. Include the information given below.

Bitte schreiben Sie.

You're looking for a babysitter for your son, Simon, and your daughter, Jennifer. Simon (6) speaks a little German, but Jennifer (4) speaks only English. You live in Wuppertal-Elberfeld.

Abend

Heike Schuckard, Karin's friend from Dresden, rings to say that she's coming on Wednesday. Karin enlists Thomas's help in fetching her from the station.

Key points

- saying which foods and drinks you like and dislike
- practising irregular verbs
- understanding train times

18 Karin asks Heike a question on the phone, but you don't hear Heike's reply. Put a cross next to the replies she might have made. There are two possibilities.

Bitte kreuzen Sie an.

1	Ja, ich esse gerne Pizza.	❏
2	Ja, ich spreche gut Italienisch.	❏
3	Ja, ich trinke gerne Pizza.	❏
4	Nein, ich esse nicht gerne Pizza.	❏
5	Nein, ich komme am Vormittag.	❏

19

Make sure you understand the meanings of the words for food and drink etc. in the box. Fill in the grid below according to what you like (*ich esse/trinke gerne* …) and dislike (*ich esse/trinke nicht gerne* …). Beware – there are some things you can't eat or drink!

Bitte schreiben Sie.

Obst Gemüse Teller Suppe Fleisch Fisch Messer Süßigkeiten Rotwein Sekt Schnaps Hähnchen Speck Bratwurst Geschirr Gabel Kartoffeln Reis Nudeln Salat Tomatensaft

essen (to eat)
ich esse
du ißt
er, sie, es ißt
wir essen
ihr eßt
Sie essen
sie essen

Ich esse gerne	Ich trinke gerne
Ich esse nicht gerne	Ich trinke nicht gerne

20

Fill in the correct form of *essen* or *trinken* (a regular verb) as appropriate in the following sentences.

Bitte schreiben Sie.

1 Heike . . . . . . gerne Pizza, und sie . . . . . . gerne Rotwein.

2 Karin und Irfan . . . . . . viel Gemüse, und sie . . . . . . gerne Bier.

3 Die Kinder . . . . . . gerne Nudeln, und sie . . . . . . Apfelsaft.

4 Ich . . . . . . zum Frühstuck Müsli, und ich . . . . . . Kaffee.

5 Wir . . . . . . sonntags gerne Kuchen, und wir . . . . . . Tee oder Schokolade.

Talking about food and drink

How do you say what things you like?

Ich esse gerne	Fisch.
Ich esse sehr gerne	Gemüse.
Ich trinke gerne	Limonade.
Ich trinke sehr gerne	Whisky.

How do you say what you don't like?

Ich esse nicht gerne	Fisch. Gemüse.
Ich trinke nicht gerne	Limonade. Whisky.

Note that you can say *gern* as well as *gerne*. Both are correct.

How do you say what you don't eat or drink at all?

Ich esse	keinen Fisch. (m) keine Schokolade. (f) kein Gemüse. (n)
Ich trinke	keinen Alkohol. (m) keine Milch. (f) kein Bier. (n)

You have probably noticed that there is a difference between the way you use *nicht* and the way you use *kein*. You use *nicht* with a verb (*Ich verstehe **nicht**.*). And you use *kein* with a noun (*Ich trinke **keinen** Alkohol. Ich habe **keine** Kinder.*). *Kein* takes the same endings as the indefinite article *ein*. If you want to say that you don't speak a particular language you could use either *nicht* or *kein*:

Ich spreche nicht Italienisch./Ich spreche kein Italienisch.

Now practise saying 'yes, please' and 'no, thank you' with the cassette, giving a reason why you want or don't want what is offered to you. Use the key in the box as a guide. The first question and response have been written out in full.

Bitte sprechen Sie.

(++)	ich esse/trinke sehr gerne …
(–)	ich esse/trinke nicht gerne …
(✗)	ich esse/trinke keinen …/keine …/kein …

1 Kartoffeln (++)

   Sie hören: Möchten Sie Kartoffeln?

   Sie sagen: Ja, bitte. Ich esse sehr gerne Kartoffeln.

2 Bier (✗)

3 Fleisch (✗)

4 Tomatensaft (–)

5 Kaffee (✗)

22 Whether Heike likes pizza or not will remain a mystery, but you can find out more about Heike and her plans by reading the story for this session and deciding which six out of the nine statements listed below are true.

Bitte lesen Sie und kreuzen Sie an.

eine Woche Urlaub
a week's holiday

der Bahnhof station

aber but

ich habe keine Zeit
I don't have time

kennen to know

wie sieht sie denn aus?
what does she look like?

hübsch pretty

Karin ist im Büro und telefoniert: „... also bis Mittwoch – toll! Tschüs!" Dann ruft sie Thomas: „Thomas, hast du einen Moment Zeit? Du, stell dir vor: Heike kommt nach Wuppertal!" „Heike, wer ist Heike?" „Heike Schuckard, meine Freundin aus Dresden!" „Ach so, die Heike." „Ja, sie hat eine Woche Urlaub, und sie ist am Mittwoch um 16.35 Uhr am Bahnhof. Aber ich habe dann keine Zeit: fährst du für mich zum Bahnhof?" „Ja, kein Problem. Aber ich kenne Heike nicht, wie sieht sie denn aus?" Karin zeigt ihrem Bruder ein Foto. „Das ist Heike? Sie ist sehr hübsch. Ist sie verheiratet?" „Thomas! Nein. Aber ... aber ..." „Was denn?" „Ach, nichts ..."

1	Heike ist eine Freundin von Karin.	❏
2	Heike heißt mit Nachnamen Schuckard.	❏
3	Heike hat einen Bruder.	❏
4	Heike ist verheiratet.	❏
5	Heike kommt aus Dresden.	❏
6	Heike hat eine Woche Urlaub.	❏
7	Heike hat keine Zeit.	❏
8	Heike kommt am Mittwoch nach Wuppertal.	❏
9	Heike ist hübsch.	❏

WISSEN SIE DAS?

When Karin speaks to her brother she uses the informal *du* for 'you': *Hast du Zeit? Fährst du zum Bahnhof?* So far in Café Einklang the more formal *Sie* has nearly always been used. In German you use *Sie* when speaking to people who are not close friends or family. *Sie* can be used to address one or several people. When you are speaking to members of your family, to close friends or to children, you use the informal *du*. This can only be used to address one person. If you want to address two or more people informally, you would use *ihr*. Remember that the verb also changes according to which word for 'you' you use.

23 How would you address the following people in Germany? Write *Sie, du* or *ihr* next to the person or people in each case.

Bitte schreiben Sie.

1	your doctor	Ihr Arzt	_____
2	your aunt	Ihre Tante	_____
3	your two brothers	Ihre zwei Brüder	_____
4	your best friend	Ihr bester Freund	_____
5	the cashier at the supermarket	der Kassierer im Supermarkt	_____
6	your colleague	eine Kollegin	_____
7	your boss	Ihre Chefin	_____
8	your neighbour/(female)	Ihre Nachbarin	_____
9	three small children	drei kleine Kinder	_____

More irregular verbs

fahren	nehmen	schlafen
ich fahre	ich nehme	ich schlafe
du fährst	du nimmst	du schläfst
er, sie, es fährt	er, sie, es nimmt	er, sie es schläft
wir fahren	wir nehmen	wir schlafen
ihr fahrt	ihr nehmt	ihr schlaft
Sie fahren	Sie nehmen	Sie schlafen
sie fahren	sie nehmen	sie schlafen

These three verbs illustrate something a lot of irregular verbs in German have in common. The vowel in the stem of the verb changes in the *du* and the *er, sie, es* forms, but apart from that they are quite regular (*sprechen* and *essen* are two other examples).

---

24 Here are some questions which Karin might have asked her friend Heike, but she would have used *du* rather than *Sie*. Change each question so that it becomes less formal. The first one has been done for you.

Bitte schreiben Sie.

1 Welchen Zug nehmen Sie?   *Welchen Zug nimmst du?*

2 Wann fahren Sie in Dresden los?   _____

3 Wie kommen Sie zum Bahnhof? Haben Sie ein Auto?   _____

4   Wo schlafen Sie in Frankfurt? _____

5   Nehmen Sie den Intercity ab Frankfurt? _____

6   Essen Sie gerne Pizza? _____

7   Trinken Sie gerne Rotwein? _____

8   Wann fahren Sie wieder zurück? _____

Heike is going to arrive in Wuppertal at 16.35 (*um sechzehn Uhr fünfunddreißig*). A friend who works at the railway station has worked out all the train times for her. Listen to the activities cassette and write the correct times in the gaps in the text below.

Bitte hören Sie und schreiben Sie.

Du fährst also um . . . . . . Uhr in Dippoldiswalde los. Dann nimmst du den Intercity ab Dresden um . . . . . . Uhr, und du bist dann um . . . . . . Uhr in Frankfurt. Dort schläfst du ja bei Sabine. Du nimmst dann am Mittwoch vormittag die S-Bahn um . . . . . . Uhr zum Hauptbahnhof und nimmst den Zug um . . . . . . Uhr. Du bist dann um 16.35 Uhr in Wuppertal.

If you listen to *Thema 2* on your independent listening tape you will hear people from Wuppertal talking about food and drink. You will also find out about a modern café, the Café Kassiopeia, and a large hotel, the Lindner Golfhotel Juliana, both in Wuppertal.

Checkliste

Now you can

- order and pay for food and drink (*Morgen* page 36–7)
- use high numbers (*Morgen* page 38)
- talk about your family (*Mittag* page 41)
- use the accusative case (*Mittag* page 42–3)
- say what languages you speak (*Mittag* page 44)
- say what food and drink you like and dislike (*Abend* page 48–9)
- use several irregular verbs (*Mittag* page 42 and 45, *Abend* page 48 and 51)
- understand train times (*Abend* page 52)

Testaufgaben

A Find the odd one out in each of the four lists of words below.

1 Besteck   Geschirr   Teller   Speck

2 geschieden   getrennt   verkaufen   verwitwet

3 du   ihr   wie   Sie

4 Ingenieur   Messer   Exportleiter   Programmierer

B Fill in the gaps with the correct form of the verb in brackets.

1 Wann . . . . . . Herr Söderbaum nach Hamburg? (fahren)

2 Wo . . . . . . Heike am Dienstag abend? (schlafen)

3 Wie viele Kinder . . . . . . Frau Beier? (haben)

4 . . . . . . ihr einen Moment Zeit? (haben)

5 . . . . . . du Französisch? (sprechen)

6 Mein Mann . . . . . . den Zug um 13.45 Uhr. (nehmen)

7 . . . . . . ihr auch das Café Einklang Frühstück? (nehmen)

C Choose the most appropriate response from the sentences below.

1 So, das macht dann DM 32,20.

   a   DM 35,-, bitte.   ❑

   b   Vielen Dank. Auf Wiedersehen.   ❑

   c   Ich zahle dann.   ❑

2 Hat Ihr Kollege Familie?

   a   Nein, er ist Exportleiter.   ❑

   b   Ja, er ist geschieden.   ❑

   c   Er ist verheiratet, aber er hat keine Kinder.   ❑

3 Wir exportieren viel Software nach Italien.

   a   Wir auch.   ❑

   b   Meine Firma exportiert auch Getränke.   ❑

   c   Wir machen keinen Gewinn.   ❑

4 Sprechen Sie Deutsch?

   a   Ja, aber nicht sehr gut.   ❑

   b   Nein, ein bißchen.   ❑

   c   Ich spreche Englisch.   ❑

Dienstag

• • • • • Vormittag

It's Thomas's day off – and he's looking forward to a lie-in. The Meyer-Serts, on the other hand, are using their day to catch up on the housework.

Key points

- using separable verbs
- asking questions

Match up the verbs with the pictures.

Bitte ordnen Sie zu.

a abholen (Ich hole die Kinder ab.)

b anrufen (Ich rufe an.)

c aufräumen (Ich räume auf.)

d aufstehen (Ich stehe auf.)

e einkaufen (Ich kaufe ein.)

2 Now decide whether the statements below are true or false.

Bitte kreuzen Sie an.

		richtig	falsch
1	Thomas muß heute viel arbeiten.	❑	❑
2	Café Einklang ist dienstags geschlossen.	❑	❑
3	Karin und Irfan räumen das Café auf.	❑	❑
4	Irfan ruft den Elektriker an.	❑	❑
5	Die Kinder sind heute zu Hause.	❑	❑

3 Now match up people and activities.

Bitte ordnen Sie zu.

1	Thomas	a	kauft ein.
2	Karin	b	räumt das Wohnzimmer auf.
3	Irfan	c	faulenzt.
		d	ruft den Elektriker an.
		e	holt die Kinder ab.
		f	steht erst um 11 Uhr auf.

Using separable verbs

Prefixes can be added to many German verbs. This usually changes the meaning of the verb. Take, for instance, *stehen* (to stand). **Auf**stehen means 'to get up', or 'to stand up'. Another example is *holen* (to fetch). If you put *ab* in front of it to make **ab**holen, it means 'to meet', 'to pick up', or 'to fetch'.

Most of these prefixes are separable. This means that when you use the verb with its prefix in a simple sentence, the prefix is separated from the rest of the verb and goes to the end of the sentence.

abholen	Sie holt die Kinder **ab**.
anrufen	Irfan ruft den Elektriker **an**.
aufräumen	Karin räumt das Wohnzimmer **auf**.
aufstehen	Thomas steht heute erst um 11 Uhr **auf**.
einkaufen	Irfan kauft im Supermarkt **ein**.

Some of the most common separable prefixes are *ab, an, auf, ein, mit, weg*. Other prefixes such as *be-* and *ver-* are not separable. The general rule is that prefixes are separable when they are also words in their own right (you can find them in a dictionary). A separable verb always has the stress on the first syllable, that is, on the prefix.

aufstehen (separable)   ich stehe auf

be**zah**len (not separable)   ich bezahle

You will come across more verbs with separable prefixes as you work through this book.

4

Here is a list of things that you plan to do today. Write complete sentences listing your plans. Look up the meaning of any words you don't understand on the vocabulary page for this session.

Bitte schreiben Sie.

1	Getränke einkaufen	*Ich kaufe Getränke ein.*
2	das Paket abholen	_____
3	das Geschirr spülen	_____
4	das Bad putzen	_____
5	den Tisch abräumen	_____
6	die Wäsche aufhängen	_____
7	meine Hose bügeln	_____
8	auf die Bank gehen und die Rechnungen bezahlen	_____

5

Now fill in the gaps in the following text about Karin and Irfan's household chores. Choose the appropriate verbs from the box below, but use each verb only once. Don't forget to separate the prefixes from the separable verbs.

Bitte schreiben Sie.

> abholen putzen aufräumen spülen bügeln
> bezahlen abräumen einkaufen aufhängen anrufen

Es ist Dienstag morgen. Karin und Irfan arbeiten heute zu Hause. Karin . . . . . . das Wohnzimmer . . . . . . und . . . . . . die Fenster. Dann . . . . . . sie die Wäsche . . . . Irfan ist in der Küche. Er . . . . . . den Tisch . . . . . . und . . . . . . das Geschirr. Die Spülmaschine ist seit letzter Woche defekt. Irfan . . . . . . den Elektriker . . . . Karin . . . . . . dann die Kinder . . . . . . Miriam ist im Kindergarten, und David ist in der Schule. Irfan . . . . . . im Supermarkt . . . . . . und . . . . . . dann die Wäsche. Nach dem Essen geht Irfan auf die Bank und . . . . . . die Rechnungen.

In Germany many children between the ages of three and six attend a *Kindergarten*. There are part-time places (mornings only) or full-time places. Compulsory education starts at the age of six when children enter the *Grundschule* (primary school). School ends at one o'clock or earlier, depending on the timetable.

 6 Now use the activities cassette to continue practising separable verbs. You will hear the names of people, and what they are doing. Your job is to put these together and say complete sentences. Use the appropriate word order and verb endings. You will hear the correct version afterwards. There will be four sentences altogether.

Bitte sprechen Sie.

Sie hören: Irfan – den Elektriker anrufen

Sie sagen: Irfan ruft den Elektriker an.

Sie hören: Irfan ruft den Elektriker an.

 Read the story and answer the questions below in German.

Bitte lesen Sie und beantworten Sie die Fragen.

. . . .

spät   late

sich beeilen to hurry up

kennen to know

Um halb zwölf wacht Thomas auf: „Was, schon so spät? Ich muß mich beeilen, um zwölf muß ich bei den Eltern sein!" Frau Meyer, Karins und Thomas' Mutter, kocht jeden Dienstag mittag für Thomas. Heute gibt es Pfannkuchen: „Hmm, mein Lieblingsessen." Nach dem Mittagessen spült Thomas das Geschirr. Frau Meyer bügelt die Wäsche. „Du, kennst du Karins Freundin Heike?" fragt Thomas. „Heike aus Dresden? Ja, die kenne ich! Sie kommt morgen, oder?" „Ja, sie fährt heute nach Frankfurt und kommt morgen dann nach Wuppertal. Ich hole sie vom Bahnhof ab. Ist … ist sie nett?" „Oh, ja, Heike ist sehr nett." „Was ist sie von Beruf?" „Sie ist Musikerin." „Aha … und wie alt ist sie?" „29. Thomas, warum fragst du soviel?" „Ach, nur so …"

. . . .

1   Wann wacht Thomas auf?

2   Warum muß er sich beeilen?

3   Was macht Thomas' Mutter jeden Dienstag?

4   Was essen Thomas und Frau Meyer?

5   Bügelt Thomas die Wäsche?

6   Wer ist Heike?

7   Woher kommt Heike?

8   Wohin fährt sie heute?

9   Was ist sie von Beruf?

10 Wie alt ist sie?

Asking questions

Question words

wann?   when?

warum?   why?

was?   what?

wer?   who?

wie?   how?

wo?   where?

woher?   where from?

wohin?   where to?

There are two main types of questions in German.

First, there is the kind of question to which the answer is always either *ja* or *nein*. These normally start with the verb: *Bügelt Thomas die Wäsche?* Or you can start your question with a question word such as *wann, warum, was, wer, wie, wo, woher* or *wohin*. These questions get more varied answers.

You use a different intonation for these two different types of questions.

Questions which start with the verb

The intonation goes up at the end.

Ist Heike nett?   *Kommt sie aus England?*

Questions which start with a question word

The intonation is interrogative. That means it starts fairly high and then goes down.

Wie alt ist sie?   *Was macht Heike?*

---

8   Now use your cassette to practise asking questions in German with the correct intonation. First you will hear four questions which start with the verb (rising intonation). Then you will hear four questions which start with a question word (falling intonation). Repeat each question in the pause after the example.

Bitte sprechen Sie nach.

9   This time, here are some answers. Can you find suitable questions?

Bitte schreiben Sie.

I   Was ist Heike Schuckard von Beruf?   Sie ist Musikerin.

2   _____ ?   Er ist Kellner.

3   _____ ?   Er heißt Irfan Sert.

4   _____ ?   Er kommt aus der Türkei.

5   _____ ?   Ja, Karin ist sehr nett.

6   _____ ?   Er ist sieben Jahre alt.

7   _____ ?   Sie heißt Mimi.

8   _____ ?   Nein, sie kommt am Mittwoch.

9   _____ ?   Thomas holt sie ab.

10 Here are some statements about how much time Germans usually spend on paid work, housework and leisure activities. Each statement has two alternatives in it. Decide which alternative you think is right, then read the statistics in the article underneath to check your answers.

Bitte lesen Sie und kreuzen Sie an.

1 People in paid employment spend

    a 1 hour, 28 minutes   ❑

    b 2 hours, 48 minutes   ❑

on housework or other unpaid work every day.

2 The amount of time spent on housework

    a increases   ❑

    b decreases   ❑

as people get older.

3 People in paid employment spend

    a more time   ❑

    b less time   ❑

on media, sports and cultural events than old age pensioners.

Hausarbeit: Tagesablauf in Deutschland			
	Zeit pro Tag (Stunden)		(1994)
Tätigkeit	**Jugendliche**	**Berufstätige**	**Rentner/innen**
Arbeit, Ausbildung	4:32	6:30	0:08
Hausarbeit und andere Arbeit ohne Bezahlung	1:28	2:48	5:06
Medien, Sport, Kultur	5:05	3:01	1:32
Schlafen, Essen, Körperpflege	11:37	10:16	12:29

Nachmittag

Karin entertains a visitor, while Thomas has been press-ganged into helping his father clean out the cellar and the attic, where they discover some interesting old photos.

Key points

- describing parts of houses and furniture
- practising word order
- working with expressions of time

11 Have you understood the story so far? Correct the English sentences below: there is an error of fact in each of them.

Bitte korrigieren Sie.

1 Frau Möbius is coming in the afternoon to help Karin with the housework.
2 Frau Möbius is coming at half past four.
3 Irfan has gone to the cinema with the children.
4 Karin and Irfan have a family house.
5 Karin and Irfan's home has five rooms.

 3

12 Karin is showing Frau Möbius round her flat. Look at the plan below and label the rooms with the words from the box. Then listen to Karin on the activities cassette and decide in what order they visit the rooms, for example *das Arbeitszimmer* = 1.

Bitte hören Sie und schreiben Sie.

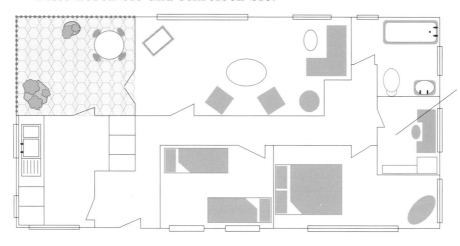

1 das Arbeitszimm...

> das Wohnzimmer   das Bad   das Schlafzimmer
> ~~das Arbeitszimmer~~   das Kinderzimmer   die Küche

The majority of people in Germany live in rented accommodation. This is almost always unfurnished and on long-term contracts. Buying a house or a flat is less common. In general, it is more economical to rent than to buy a property. Some people save money with a *Bausparkasse* (similar to a building society) over many years in order to buy or build their own home. Rented accommodation is often in blocks of flats or in houses which accommodate two, three or more families. These families typically share the cellar (*Keller*) and the loft (*Dachboden*). People describe their flats as a *Zweizimmerwohnung* or *Dreizimmerwohnung* and so on, depending on the number of rooms in addition to the kitchen, bathroom and other utility rooms.

13 Frau Möbius und Karin are chatting about their homes. Listen to their conversation and fill in the table below.

Bitte hören Sie und schreiben Sie.

	Haus oder Wohnung?	Wie viele Zimmer?	Garten?	Arbeitszimmer?
Karin und Irfan	Wohnung			
Frau Möbius				

14 Now read the story and decide whether the statements below are true or false.

Bitte lesen Sie und kreuzen Sie an.

durcheinander in a mess

lachen to laugh

schau mal have a look

häßlich ugly

ach du Schreck good heavens

• •

Am Nachmittag arbeiten Thomas und sein Vater zusammen im Haus von Karin und Thomas' Eltern. Zuerst putzen sie den Keller. Dann räumen sie den Dachboden auf. Dort sind Stühle, ein Tisch, Betten, ein Schrank … alles ist durcheinander. „Vater, du bist wirklich faul." Thomas lacht. „Du mußt hier öfter aufräumen! Schau mal – hier ist ja der Schreibtisch aus dem Kinderzimmer!" „Ja." Herr Meyer lacht. „Und dort drüben ist ja auch Großmutters Kommode!" In der Kommode findet Thomas ein Fotoalbum: „Vater, schau mal, eure Wohnung in der Grünstraße. Und hier: Großmutters Reihenhaus. Huh, das ist ja häßlich, wer ist denn das dicke Baby?" „Das bist du, Thomas." „Ach du Schreck. Komm, wir zeigen Mutter die Fotos."

• •

		richtig	falsch
1	Thomas and his father are working in Karin's and Thomas's parents' house.	❏	❏
2	First they clean the attic and then they clear up in the cellar.	❏	❏
3	In the cellar there are chairs, a table, beds and a wardrobe.	❏	❏
4	Thomas discovers a photo album in his grandmother's chest of drawers.	❏	❏
5	Thomas wants to show the photographs to his grandmother.	❏	❏

Changing word order (inversion)

You met several expressions of time and place in the story on page 63.

Time	zuerst (*first*)
	dann (*then*)
Place	hier (*here*)
	dort/dort drüben (*over there*)

If you start a sentence with an expression of time or place (or, in fact, anything other than the subject), the word order changes. The verb stays in second place but is now followed by the subject. This effect is called inversion.

Usual word order

Sie	putzen	den Keller.
(subject)	(verb)	(rest of the sentence)

Inversion

Zuerst	putzen	sie	den Keller.
	(verb)	(subject)	(rest of the sentence)

Here are some more examples.

Expression of time or place	Verb	Subject	Rest of sentence
Morgen	kommt	Heike.	
Zum Frühstück	esse	ich	meistens Müsli.
Am Nachmittag	arbeiten	Thomas und sein Vater	zusammen im Haus.
In Wuppertal	fährt	die Schwebebahn.	
Im Supermarkt	kaufen	wir	sehr gerne ein.

And here is a list of useful time expressions, which you will need when describing a sequence of events.

zuerst	*first*
dann	*then*
danach	*then/afterwards*
später	*later*
schließlich	*finally*

15 Now for some practice in using expressions of time and place. Rewrite the following sentences, putting the adverbs in the brackets first.

Bitte schreiben Sie.

1   Karin räumt das Wohnzimmer auf.   (zuerst)

   Zuerst räumt Karin das Wohnzimmer auf.

2   Karin arbeitet im Keller.   (dann)

3   Sie putzt die Fenster.   (dort)

4   Irfan ruft den Elektriker an.   (zuerst)

5   Er bezahlt die Rechnungen.   (danach)

6   Karin und Irfan holen die Kinder ab.   (später)

7   Alle gehen einkaufen.   (schließlich)

16 Fill in the gaps in this account of an afternoon at the Meyers using the adverbs in the box below. Use each adverb only once.

Bitte schreiben Sie.

> hier zuerst dann dort drüben
> später danach dort schließlich

Ein Nachmittag bei Familie Meyer

Heute räumen die Meyers das Haus auf. . . . . . . putzen Thomas und sein Vater den Keller. . . . . . . sind viele alte Kisten. Thomas trägt sie in die Garage. . . . . . . waschen die beiden das Auto. . . . . . . kaufen Thomas und Frau Meyer im Supermarkt ein: „Wo ist denn der Reis?" fragt Frau Meyer. „. . . . . im Regal ist er." An der Kasse fragt Thomas: „Wer bezahlt, du oder ich?" „Du bezahlst, ... ist das Geld, und ich packe die Sachen ein", sagt Frau Meyer. . . . . . . fahren sie wieder nach Hause. . . . . . . trinken sie alle zusammen im Wohnzimmer Kaffee.

17 Now use this list of household jobs to describe a day at home. Listen to the prompts on the activities cassette and then speak in the pauses. The first one has been written out in full for you.

Bitte sprechen Sie.

1   Zuerst (das Geschirr spülen)

   Zuerst spüle ich das Geschirr.

2   Dann (die Küche aufräumen)

3   Danach (das Paket abholen)

4   Später (das Versicherungsformular ausfüllen)

5   Am Nachmittag (den Computer reparieren)

6   Am Abend (faulenzen)

das Versicherungsformular insurance form

65

18 Here is a word search to help you revise words for parts of the house and furniture. Find twelve words and write them out, adding the correct articles. They are hidden from right to left, left to right, top to bottom and bottom to top.

Bitte suchen Sie die Wörter.

K	S	C	H	L	A	F	Z	I	M	M	E	R	R	O
J	T	L	K	M	N	E	R	D	E	M	P	L	K	O
J	U	K	G	N	U	N	H	O	W	W	I	M	G	A
T	H	N	A	S	T	S	N	I	K	L	E	W	A	P
B	L	N	S	C	H	T	L	B	E	T	T	I	R	R
T	T	Y	N	B	H	E	H	A	P	O	B	N	T	E
N	U	N	E	R	T	R	I	D	W	E	I	O	E	L
K	O	M	M	O	D	E	K	M	L	P	E	I	N	L
R	E	T	U	P	M	O	C	G	H	U	I	K	M	E
V	V	N	E	D	O	B	H	C	A	D	N	E	R	K
M	T	G	H	K	D	S	I	T	I	S	C	H	I	T

· · · · · · # Abend

What's the best way of spending an evening off? Thomas tries to persuade various friends to go to the pictures with him. Karin tries to get Irfan to relax at home.

Key points

- learning some useful verbs
- making suggestions
- agreeing and disagreeing
- expressing preferences

Hast du heute abend Zeit? Ich möchte ins Kino gehen. Es gibt „Doktor Schiwago".

„Doktor Schiwago"?

Nein, tut mir leid. Ich muß mein Motorrad reparieren.

19 After failing to interest Frank, Thomas rings two more people. Read the picture story and the dialogues below, then find the German expressions for making suggestions, agreeing and disagreeing and write them next to the English phrases below. Note how Germans only say their surname when answering the telephone.

Bitte lesen Sie und schreiben Sie.

Klaus Bachmann.

Thomas Hallo, hier ist Thomas. Wie geht's?

Klaus Ja, ganz gut. Danke. Und dir?

Thomas Auch gut. Habt ihr heute abend Zeit? Ich möchte „Doktor Schiwago" sehen.

Klaus Nein, ich kann nicht. Ich habe keine Zeit. Ich muß arbeiten, und Babsi geht dienstags immer ins Fitness-Studio.

Julia Steinmetz.

Thomas Hallo, Julia. Hier ist Thomas.

Julia Hallo Thomas, lange nichts gehört.

Thomas Ja, du – hast du heute abend Zeit?

Julia Ja.

Thomas Wollen wir ins Kino gehen? Es gibt „Doktor Schiwago".

Julia Ich weiß nicht. Ich habe keine Lust ins Kino zu gehen. Ich möchte lieber in die Kneipe gehen. Vielleicht ins Café Kassiopeia. Das ist immer sehr gemütlich.

Thomas Ja, gern. Das ist eine gute Idee. Um wieviel Uhr?

Julia Um acht Uhr.

Thomas Gut. Ich hole dich ab.

Making a suggestion

1 Do you have time tonight? _____

2 Shall we go to the cinema? _____

Agreeing

3 Yes, I'd like to. _____

4 That's a good idea. _____

5 Fine. _____

Disagreeing

6 No, I can't. _____

7 I don't have time. _____

8 I'm sorry. _____

9 I have to work. _____

10 I don't feel like it. _____

11 I'd rather … _____

12 I don't know. _____

20 Re-order use the phrases below to write out a dialogue between two colleagues.

Bitte schreiben Sie.

- Und morgen abend? Sie gehen doch auch gerne in die Oper. Es gibt Fidelio.

- Haben Sie heute abend Zeit?

- Die Karten können wir dort kaufen.

- Nein, tut mir leid. Ich muß arbeiten.

- Okay, tschüs, bis morgen dann. Ach – und kaufen Sie die Karten?

- Ja, gern. Gute Idee.

- Ja, morgen abend geht es. Um wieviel Uhr?

- Um 20 Uhr, aber wollen wir vielleicht vorher noch ein Bier trinken?

- Gut, ich hole Sie morgen um 19 Uhr ab.

Using modal verbs

In German there are particular verbs which can be used to express wishes (*mögen*), necessity (*müssen*), possibility, opportunity or ability (*können*) as well as for making suggestions or saying what you want (*wollen*). These are called modal verbs.

mögen (would like)

ich möchte
du möchtest
er, sie, es möchte
wir möchten
ihr möchtet
Sie möchten
sie möchten

müssen (must, have to)

ich muß
du mußt
er, sie, es muß
wir müssen
ihr müßt
Sie müssen
sie müssen

können (can, be able to)

ich kann
du kannst
er, sie, es kann
wir können
ihr könnt
Sie können
sie können

wollen (want to)

ich will
du willst
er, sie, es will
wir wollen
ihr wollt
Sie wollen
sie wollen

These verbs are usually used with the infinitive form of another verb. The infinitive goes to the end of the sentence.

Ich möchte heute abend ausgehen.

Wir können in die Kneipe gehen.

Ich muß leider arbeiten.

Wollen wir ins Kino gehen?

How do you express a wish?

Ich möchte in die Kneipe gehen.

Thomas möchte faulenzen.

How do you express preferences?

Ich möchte lieber ins Kino gehen.

Thomas und Herr Meyer möchten lieber Fotos sehen.

How do you say that something is necessary?

Ich muß mein Motorrad reparieren.

Thomas und Herr Meyer müssen den Dachboden aufräumen.

How do you express possibility, opportunity or ability?

Wir können in die Theaterkneipe gehen.

Ich kann gut Deutsch sprechen.

How do you make a suggestion?

Wollen wir essen gehen?

Wollen wir in die Kneipe gehen?

Kommst du mit?

Kommen Sie mit?

21 Make sentences using the key words below. Remember to pay attention to word order and use the correct form of the modal verb in each case.

Bitte schreiben Sie.

1 Frau Möbius – ausgehen – möchten – heute abend.
   Frau Möbius möchte heute abend ausgehen.

2 Ich – müssen – abholen – die Kinder.

3 Thomas Meyer – können – Türkisch – sprechen – ein bißchen.

4 Wollen – ihr – essen gehen – heute abend?

die Gastronomiemesse
exhibition for the
catering trade

die Messe trade fair,
exhibition

5 Irfan Sert – wollen – im Mai – zur Gastronomiemesse in Düsseldorf –
fahren.

6 Die meisten Leute – müssen – am Samstag – nicht – arbeiten.

7 Ich – nicht – können – am Donnerstag abend – ins Theater gehen. Ich –
arbeiten – müssen.

22 Read how Karin and Irfan spend their evening, then match the pictures and
activities below.

Bitte lesen Sie und ordnen Sie zu.

• •

Nach dem Abendessen bringen Karin und Irfan die Kinder ins Bett. Dann sitzen
sie noch im Wohnzimmer. Karin liest ein Buch, und Irfan hört Radio. „Wollen wir
Scrabble spielen?" fragt Karin. „Ich weiß nicht …" „Oder möchtest du lieber
fernsehen?" „Nein, ich habe keine Lust." „Gut, dann faulenzen wir einfach. …Wir
haben auch lange nichts mit den Kindern gemacht. Nächsten Dienstag können
wir vielleicht mit David und Miriam und Heike schwimmen gehen und dann ins
italienische Restaurant. Hast du Lust?" „Ja, gute Idee … Du Karin, ich gehe
schnell ins Café." „Warum denn das?" „Der Computer funktioniert immer noch
nicht." „Also Irfan, muß das sein? Heute ist unser einziger freier Abend
zusammen …"

• •

I

2

6

a fernsehen

b schwimmen gehen

c Musik/Radio hören

d lesen

e Scrabble spielen

f ins Restaurant
gehen/essen gehen

3

5

4

23 Write correct versions of these statements in German.

Bitte korrigieren Sie.

1 Irfan bringt die Kinder ins Bett.

   Karin und Irfan bringen die Kinder ins Bett.

2 Irfan sitzt im Eßzimmer und hört Radio.

3 Karin möchte Tennis spielen.

4 Irfan möchte fernsehen.

5 Karin möchte nächsten Dienstag mit Heike ins chinesische Restaurant gehen.

6 Irfan möchte heute abend in die Kneipe gehen.

7 Karin denkt, das ist eine gute Idee.

 24 On the cassette you will hear someone suggesting several leisure activities. Answer them by expressing your preferences, using the pictures below as prompts. Speak in the pause after each suggestion.

Bitte sprechen Sie.

1 Sie hören: Wollen wir schwimmen gehen?

   Sie sagen: Nein, ich möchte lieber Tennis spielen.

2

3

4

25

Below is a page from your diary, showing a week planner. Read it and then answer the questions on the cassette.

Bitte sprechen Sie.

Sie hören: Wollen Sie am Dienstag vormittag mit uns einkaufen gehen?

Sie sagen: Nein, am Dienstag vormittag habe ich keine Zeit. Ich muß arbeiten.

der Termin
appointment

einen Termin haben
to have an
appointment

Wochenplaner 40. Woche							
	SO	MO	DI	MI	DO	FR	SA
Vormittag		Büro	Büro	9.00 Auto abholen	Büro	Büro	10.00 Termin (Fr. Stein)
Nachmittag	14.00 Zoo	Büro	Büro	Büro	Büro	Büro	16.00 Kaffee bei Sybille
Abend		19.00 Spanisch-kurs	19.30 Program-mierkurs		20.00 Fitness-Zentrum		

26

Now complete this dialogue between Frau Sievers and her husband by adding the appropriate form of the modal verb in the box below. Some verbs can be used more than once.

Bitte schreiben Sie.

Am Abend sitzen Herr Sievers und seine Frau im Wohnzimmer und sprechen über das Wochenende.

kann   wollen   muß   möchte   können

Herr Sievers . . . . . . wir morgen abend zu Hause bleiben und fernsehen?

Frau Sievers Ich weiß nicht, ich . . . . . . lieber in die Stadt fahren und etwas Interessantes machen.

Herr Sievers In die Stadt? Was . . . . . . man denn da Interessantes machen?

Frau Sievers Da . . . . . . wir ins Kino gehen oder ins Theater … oder …

Herr Sievers Ach, ich habe keine Lust auf Theater oder Kino. Ich . . . . . . lieber in die Kneipe gehen.

Frau Sievers Immer in die Kneipe … da . . . . . . man doch nichts machen, immer nur trinken und langweilige Leute treffen. Da . . . . . . ich auch zu Hause bleiben! Da . . . . . . ich für mein Bier nicht extra bezahlen.

Herr Sievers Na, das sage ich doch! Das ist doch meine Idee! Bleiben wir also zu Hause. Da . . . . . . wir wenigstens Geld sparen.

Frau Sievers Na gut … wie immer … ach, ist das langweilig …

27 Finally, read this short text about what you can do in your free time in Wuppertal. Then answer the question below.

Bitte lesen Sie und beantworten Sie die Frage.

Wuppertal – die Stadt Friedrich Engels
und der weltberühmten Schwebebahn
Zoologischer Garten auf über 2 km^2
Historisches Uhrenmuseum
Museum für Frühindustrialisierung
Naturgeschichtliches Museum, benannt nach
J.C. Fuhlrott, Entdecker des Neandertalers
von der Heydt-Kunstzentrum
„Drei-Sparten-Theater" mit Oper,
Schauspiel und Tanztheater

**VON DER HEYDT-
MUSEUM
WUPPERTAL**

You can find all of the following places
in Wuppertal apart from one. Which is it?

- a museum about early industrialisation
- a natural history museum
- a museum of modern art
- a clock museum
- a planetarium
- an opera house
- a theatre
- a zoo

FUHLROTT
MUSEUM
TIERE/PFLANZEN
VERSTEINERUNGEN
MINERALIEN
UMWELTKUNDE

ZOO WUPPERTAL

Wuppertal

If you now listen to *Thema 3* on your independent listening cassette you will hear people describing where they live, and an interview with a father who is on paternity leave, *Vaterschaftsurlaub*.

Checkliste

Now you can

- use separable verbs (*Vormittag* page 56)
- talk about household jobs (*Vormittag* page 57)
- ask different kinds of questions (*Vormittag* page 59)
- describe your house or flat (*Nachmittag* page 62)
- use adverbs of time and place (*Nachmittag* page 64)
- use inverted word order (*Nachmittag* page 64)
- arrange to meet someone (*Abend* page 68)
- agree and disagree and express preferences (*Abend* page 68)
- use modal verbs (*Abend* page 69)
- speak about leisure activities (*Abend* page 71)

· · · · · Testaufgaben

A   Choose the most suitable verb to complete the sentences.

1   Ich muß noch das Wohnzimmer
   a aufräumen. ❑
   b anrufen. ❑
   c abholen. ❑

2   Ich muß die Kinder
   a einkaufen. ❑
   b abholen. ❑
   c ausfüllen. ❑

3   Dann will ich das Bad
   a bügeln. ❑
   b putzen. ❑
   c spülen. ❑

4   Kannst du bitte das Formular
   a abräumen? ❑
   b einkaufen? ❑
   c ausfüllen? ❑

B Correct the word order in these sentences. Always start with the word in bold type.

1 **Karin** die Küche aufräumt.

Karin räumt die Küche auf.

2 **Dann** sie abholt die Kinder.

3 **Warum** Irfan trinkt nicht Kaffee mit Frau Möbius?

4 **Wann** Karins Freundin nach Wuppertal kommt Heike?

5 **Du** das Paket mußt abholen von der Post.

6 **Wollen** lieber wir Scrabble oder gehen spielen in die Kneipe?

7 **Später** die Familie geht zusammen im Supermarkt einkaufen.

8 **Ich** morgen abend gern möchte gehen ins Schwimmbad.

9 **Kannst** bitte du anrufen den Elektriker?

C Now decide which *two* replies are appropriate in each case.

1 Hast du Lust, morgen ins Kino zu gehen?

    a Ja, gern. ❏

    b Nein, ich habe keine Lust. ❏

    c Ja, ich muß mein Motorrad reparieren. ❏

Mensch-ärgere-dich-nicht ludo

2 Wollen wir Scrabble spielen?

    a Nein, lieber Mensch-ärgere-dich-nicht. ❏

    b Ja, lieber in die Kneipe gehen. ❏

    c Ich weiß nicht. ❏

3 Hast du morgen abend Zeit?

    a Nein, ich will einen Dokumentarfilm im Fernsehen sehen. ❏

    b Ja, warum? ❏

    c Ja, aber ich muß faulenzen. ❏

Mittwoch

. . . . . Vormittag

The telephone never stops ringing – reservations are pouring in for the public holiday next week. Irfan has given up trying to set up the computer system on his own and is trying to contact the supplier … no wonder everyone is getting irritable.

Key points

- making a booking at a café or restaurant
- making telephone calls
- using numbers and dates

1 „Ich möchte gern einen Tisch für Freitag abend reservieren ..." Here is the full conversation between Karin and the customer. Read it and answer the comprehension questions below in German.

Bitte lesen Sie und beantworten Sie die Fragen.

Karin   Café Einklang, guten Morgen!

Gast   Guten Morgen, mein Name ist Hauck

Karin   Was kann ich für Sie tun, Frau Hauck?

Gast   Ich möchte gerne einen Tisch für Freitag abend reservieren.

Karin   Ja, gern. Wann möchten Sie kommen?

Gast   Um 19 Uhr, geht das?

Karin   Moment, ja, für wie viele Personen?

Gast   Für drei Personen.

Karin   Kein Problem: ein Tisch für drei Personen am Freitag abend um 19 Uhr für Frau Hauck ... Entschuldigung, wie schreibt man Hauck, mit ‚g' oder mit ‚k'?

Gast   Mit ‚ck'.

Karin   Danke schön, Frau Hauck, bis Freitag abend.

Gast   Auf Wiederhören.

Karin   Auf Wiederhören.

1   Warum ruft Frau Hauck im Café Einklang an?

2   Wann möchte sie kommen?

3   Für wie viele Personen reserviert sie einen Tisch?

2 Now match the questions on the left to the answers on the right.

Bitte ordnen Sie zu.

1	Was kann ich für Sie tun?	a	Am Freitag abend, um 19 Uhr.
2	Wann möchten Sie kommen?	b	Ich möchte einen Tisch reservieren.
3	Wie schreibt man das?	c	Für drei Personen.
4	Für wie viele Personen?	d	Mit ‚ck'.

3 Here is another telephone conversation that Karin had this morning. Listen to it, then answer the questions below in English.

Bitte hören Sie und beantworten Sie die Fragen.

der Rollstuhlfahrer (-)
person in a wheelchair

eine flache Stufe
a low step

ausgebucht fully
booked

1 What is Herr Herbst's first enquiry?

2 How does Karin answer this enquiry?

3 When does he want to book a table for?

4 What is the problem with this booking?

5 What does Karin suggest instead?

6 Does Herr Herbst accept Karin's suggestion?

Making a booking

How do you book a table in a restaurant?

Ich möchte einen Tisch reservieren.

Ich möchte gerne einen Tisch reservieren.

Ich würde gerne einen Tisch reservieren.

Haben Sie am Freitag abend einen Tisch frei?

How do you say how many people you want to book for?

Ich möchte gerne einen Tisch für zwei Personen reservieren.

How do you say what day and time you want to book for?

für	Montag	morgen	um	10 Uhr
	Dienstag	mittag		12 Uhr
	Mittwoch	nachmittag		15 Uhr
	Donnerstag	abend		19 Uhr
	Freitag			
	Samstag/Sonnabend			
	Sonntag			

4 To practise booking a table in a restaurant, unjumble this dialogue between Karin and another customer, Herr Maier.

Bitte ordnen Sie und schreiben Sie.

– Für vier Personen.

– Ja, das geht.

– Was kann ich für Sie tun, Herr Maier?

– Mit ‚ai‘!

– Café Einklang, guten Morgen!

– Um wieviel Uhr möchten Sie kommen?

– Guten Morgen, hier Maier.

– Danke schön, Herr Maier, auf Wiederhören.

– Ich möchte gerne einen Tisch für Sonntag abend reservieren.

– Auf Wiederhören.

– Gut.

– Für wie viele Personen?

– Also, ein Tisch für vier Personen, für Sonntag abend um 20 Uhr, für Herrn Maier ... Entschuldigung, wie schreibt man Maier, mit ‚ei‘ oder mit ‚ey‘?

– Um 20 Uhr, geht das?

Note that all three variations of the customer's name (Maier, Meier, Meyer) are pronounced the same.

5 Now it's your turn to make a booking at Café Einklang. You will hear prompts in English on the cassette telling you what to say in German. Re-read pages 77–80 if you want to be reminded about the phrases you will need to use.

Bitte sprechen Sie.

6 Now read the story and mark the correct statements below with a cross.

Bitte lesen Sie und kreuzen Sie an.

• •

Nächste Woche ist der 3. Oktober, ein Feiertag: Tag der deutschen Einheit. Viele Leute möchten einen Tisch reservieren. Das Café ist ausgebucht. Das ist sehr selten. Wolfgang kommt aus der Küche und spricht mit Karin. „Vor fünf Minuten hat Frau Reisenberger vom Supermarkt gegenüber einen Tisch reserviert. Sie kommt mit zehn Kollegen am 3. Oktober um 16 Uhr." „Wie bitte? Am 3. haben

ach, du liebe Zeit
goodness gracious
me

wir keinen Platz mehr für eine Gruppe von zehn Personen. Ach, du liebe Zeit."
Frau Reisenberger kommt oft ins Café, und Karin möchte nicht nein sagen.
Vielleicht hat Irfan eine Idee. „Du Irfan, wir haben ein Problem …" „KARIN, ICH
KANN JETZT NICHT, ICH BIN AM TELEFON!" „Also dann … dann brauchen wir
mehr Stühle und noch einen oder zwei Tische …"

• •

1	Frau Reisenberger	**a**	möchte am 3. Oktober ins Café Einklang kommen.	❏
		b	möchte am 3. Oktober in den Supermarkt gehen.	❏
2	Am 3. Oktober	**a**	ist das Café geschlossen.	❏
		b	ist das Café ausgebucht.	❏
3	Karin möchte nicht nein sagen,	**a**	weil Frau Reisenberger oft ins Café kommt.	❏
		b	weil Frau Reisenberger im Supermarkt arbeitet.	❏
4	Irfan	**a**	hat eine gute Idee.	❏
		b	ist am Telefon.	❏
5	Karin	**a**	will mehr Stühle und Tische organisieren.	❏
		b	trinkt ein großes Glas Cognac.	❏

WISSEN SIE DAS?

Café Einklang is very busy on 3 October, which is a public holiday, *Tag der deutschen Einheit* (literally, 'Day of German unity'). This is the national holiday commemorating the reunification of East and West Germany on 3 October 1990. Other public holidays are of much older origin and are mostly connected with Christian festivals. A number of them are the same all over Germany. These include New Year's Day (*Neujahr*), Good Friday (*Karfreitag*), Easter (*Ostern*), May Day (*Maifeiertag*), Ascension Day (*Christi Himmelfahrt*), Whitsun (*Pfingsten*) and Christmas (*Weihnachten*). Other holidays are different in the various *Bundesländer*. For example, Epiphany (*Heilige Drei Könige*) on 6 January is a public holiday only in predominantly Catholic areas. Christmas Eve (*Heilig Abend*) and New Year's Eve (*Silvester*) are half holidays with most shops closing at midday. In addition *Karneval* or *Fasching* is celebrated seven weeks before Easter and is likely to disrupt the normal work routine, especially in the Rhein region and many parts of southern Germany.

Now answer the questions below. The first one has been done for you.

Bitte schreiben Sie.

1 Was feiern die Deutschen am 3. Oktober?
Tag der deutschen Einheit.

2 Was feiern die Deutschen am 31. Dezember?

3 Was feiern die Deutschen am 24. Dezember?

4 Was feiern die Deutschen am 1. Januar?

5 Was feiern die Deutschen 7 Wochen vor Ostern?

1997

Januar

| Mi | 1 | Neujahr |
| Mo | 6 | Heilige Drei Könige[1] |

Februar

Mo	10	Rosenmontag
Di	11	Fastnacht
Mi	12	Aschermittwoch

März

Do	20	Frühlingsanfang
Fr	28	Karfreitag
So	30	Ostersonntag
		Beginn der Sommerzeit
Mo	31	Ostermontag

April

Mai

Do	1	Maifeiertag
Do	8	Christi Himmelfahrt
So	11	Muttertag
So	18	Pfingstsonntag
Mo	19	Pfingstmontag
Do	29	Fronleichnam[2]

Juni

| Sa | 21 | Sommeranfang |

Juli

August

| Fr | 15 | Mariä Himmelfahrt[3] |

September

| Di | 23 | Herbstanfang |

Oktober

Fr	3	Tag der deutschen Einheit
So	5	Erntedanktag
So	26	Ende der Sommerzeit
Fr	31	Reformationstag[4]

November

Sa	1	Allerheiligen[5]
So	16	Volkstrauertag
Mi	19	Buß- und Bettag[6]
So	23	Totensonntag
So	30	1. Advent

Dezember

So	7	2. Advent
So	14	3. Advent
So	21	4. Advent
		Winteranfang
Do	25	1. Weihnachtsfeiertag
Fr	26	2. Weihnachtsfeiertag
Mi	31	Silvester

September

1	Mo		36
2	Di		
3	Mi		
4	Do		
5	Fr		
6	Sa		37
7	So		
8	Mo		
9	Di		
10	Mi		
11	Do		
12	Fr		
13	Sa		38
14	So		
15	Mo		
16	Di		
17	Mi		
18	Do		
19	Fr		
20	Sa		39
21	So		
22	Mo		
23	Di	Herbstanfang	
24	Mi		
25	Do		
26	Fr		
27	Sa		40
28	So		
29	Mo		
30	Di		

Oktober

1	Mi		
2	Do		
3	Fr	Tag der deutschen Einheit	
4	Sa		
5	So		
6	Mo		41
7	Di		
8	Mi		
9	Do		
10	Fr		
11	Sa		
12	So		
13	Mo		42
14	Di		
15	Mi		
16	Do		
17	Fr		
18	Sa		
19	So		
20	Mo		43
21	Di		
22	Mi		
23	Do		
24	Fr		
25	Sa		
26	So	Ende der Sommerzeit	
27	Mo		44
28	Di		
29	Mi		
30	Do		
31	Fr	Reformationstag[4]	

[4] Feiertag in Brandenburg, Mecklenburg-Vorpommern, Sachsen, Sachsen-Anhalt und Thüringen.

[1] Feiertag in Baden-Württemberg, Bayern und Sachsen-Anhalt.

[2] Feiertag in Baden-Württemberg, Bayern, Hessen, Nordrhein-Westfalen, Rheinland-Pfalz und Saarland.
In Sachsen und Thüringen in Gemeinden mit überwiegend katholischer Bevölkerung.

[3] Feiertag in Bayern (in Gemeinden mit überwiegend katholischer Bevölkerung) und Saarland.

[4] Feiertag in Brandenburg, Mecklenburg-Vorpommern, Sachsen, Sachsen-Anhalt und Thüringen.

[5] Feiertag in Baden-Württemberg, Bayern, Nordrhein-Westfalen, Rheinland-Pfalz und Saarland.

[6] Feiertag in Sachsen

Using ordinal numbers

When talking about dates you use ordinal numbers, such as first, second, third or twenty-fifth. In expressions such as *am vierten Mai*, ordinal numbers are formed by adding *-ten* to numbers up to 19 and *-sten* to numbers of 20 and above. The only exceptions to this rule are *ersten* and *dritten*. Note that you use the preposition *am* with days and *um* with times: *am 3. Oktober um 15 Uhr*.

Here are some examples to illustrate ordinal numbers.

am **ersten** Mai   am neunzehn**ten** Mai

am zwei**ten** Mai   am zwanzig**sten** Mai

am **dritten** Mai   am einundzwanzig**sten** Mai

am vier**ten** Mai   am zweiundzwanzig**sten** Mai

8   Now practise saying these dates. Listen to the prompts on the activities cassette and give the date of each event in the pause.

Bitte sprechen Sie.

1   Termin mit Herrn Winter   12.3.

2   Tag der deutschen Einheit   3.10.

3   Messe in Düsseldorf   26.1.

4   Maifeiertag   1.5.

5   Heilig Abend   24.12.

6   Marketing-Seminar   5.6. and 7.7.

9   Irfan was on the telephone when Karin came into the office. This is what happened when he tried to ring the computer company to complain about the printer he has just bought. Listen and fill in the gaps in the dialogues using the expressions in the box below. Then read the dialogues out loud and listen to the cassette again to check your pronunciation.

Bitte hören Sie und schreiben Sie.

möchte … sprechen	anrufen
rufe … an	hier ist
am Apparat	tut mir leid
einen Moment	auf Wiederhören
verbinden	

Dialog 1

Rezeptionistin   PC-Markt. Guten Morgen.

der/die Geschäftsführer/in
managing director

Irfan   Mein Name ist Sert. Ich . . . . . . bitte den Geschäftsführer . . . .

Rezeptionistin   Die Geschäftsführerin … Das ist Frau Schmidt. Sie ist im Moment leider nicht im Hause. Können Sie später noch einmal . . . . . . ?

Irfan   Ja gut. Auf Wiederhören.

Rezeptionistin   . . . .

Dialog 2

Rezeptionistin   PC-Markt. Guten Morgen.

Irfan   Guten Tag, ... Sert. Bitte . . . . . . Sie mich mit Frau Schmidt.

Rezeptionistin   Ah . . . . , Herr Sert. Frau Schmidt spricht im Moment mit einem Kunden.

der/die Kunde/Kundin
customer

Irfan   Hmm … Ich . . . . . . in 10 Minuten noch einmal . . . . Wiederhören.

Dialog 3

Rezeptionistin   PC-Markt. Guten Morgen.

Irfan   Sert . . . . Ich möchte bitte mit Frau Schmidt sprechen.

Rezeptionistin   . . . . Ich verbinde.

Frau Schmidt   Schmidt. Guten Tag.

Irfan   Guten Tag. Mein Name ist Irfan Sert. Ich habe am 19. September einen Computer und Drucker gekauft. Das ist Auftragsnummer PC102/17 …

Now look at the continuation of the dialogue between Irfan and Frau Schmidt and complete what Frau Schmidt says by choosing the most appropriate phrase from the list below in each case.

Bitte schreiben Sie.

die Auftragsnummer
order number

gekauft bought

> Auf Wiederhören, Herr Sert.
>
> Ja, können Sie die Auftragsnummer wiederholen, bitte?
>
> Schmidt. Guten Tag.
>
> Danke. Aber zuerst eine Frage: haben Sie das Druckerkabel korrekt eingesteckt?
>
> Nein. Der richtige Drucker-Port ist links.
>
> Ja, am besten lesen Sie das Handbuch, und wenn Sie dann noch ein Problem haben, rufen Sie morgen wieder an.

Frau Schmidt _____

Irfan   Guten Tag. Mein Name ist Irfan Sert. Ich habe am 19. September einen Computer und Drucker gekauft. Das ist Auftragsnummer PC102/17/98, und mein Problem ist: der Drucker funktioniert nicht.

Frau Schmidt _____

Irfan   Ja, das ist PC102/17/98 für Sert. S E R T.

Frau Schmidt _____

Irfan   Ja, natürlich. In den Drucker-Port hinten rechts.

Frau Schmidt _____

Irfan   Oh, äh. Ja, vielleicht steckt das Kabel nicht korrekt im Moment.

Frau Schmidt _____

Irfan   Vielen Dank. Auf Wiederhören.

Frau Schmidt _____

Nachmittag

Heike arrives at Wuppertal to be met at the station by Thomas. Their friendship gets off to a good start, despite a slight technical problem.

Key points

- checking in at an hotel
- spelling names
- using more personal pronouns
- recognising adverbs of time

Here are some advertisements for accommodation in Wuppertal – use them to find the German for the words below.

Pension An der Hardt

Alle Zimmer mit eigenem Bad
Freundlicher Service

Übernachtung mit Frühstück ab DM 45,–

Tel. 0202-372166

Gasthof Wupperblick

3 Einzel-,
5 Doppelzimmer,
deutsche Küche,
Frühstück,
Halbpension,
Vollpension

Tel. 0202-613323

Hotel Maximiliana

85 komfortable Zimmer, internationale Küche

Sport-
und Freizeitangebot,
Konferenzräume

Telefon 0202-359131

Bitte schreiben Sie.

hotel _____   conference rooms _____

guest house _____   German cuisine _____

bed and breakfast _____ half board _____

single room _____   full board _____

double room _____

Checking in at an hotel

What would the receptionist say?

Kann ich Ihnen helfen?

Was kann ich für Sie tun?

How do you make a reservation?

Ich möchte ein Zimmer/ein Einzelzimmer/ein Doppelzimmer für drei Nächte, bitte.

How do you say what facilities you want?

mit Dusche   ohne Dusche

Ich möchte ein Einzelzimmer mit Dusche für drei Nächte, bitte.

How do you talk about paying?

Kann ich mit eurocheque/mit Kreditkarte bezahlen?

Ich zahle bar.

12 Now it's time for you to check in at a guest house. Use the activities cassette to practise talking to the receptionist. The receptionist will start the conversation. Reply in the pauses after each of her questions, using the information given below. You'll hear a model answer afterwards. Prepare what you are going to say in German first.

Bitte sprechen Sie.

You and your partner want to book a double room for 3 nights. You would like breakfast only, no evening meal. You would like to know whether you can pay by credit card.

13 The Lindner Golfhotel Juliana belongs to a chain of several hotels and offers some excellent facilities, particularly for businesses. Read the text and complete the phrases below using the correct information.

Bitte lesen Sie und schreiben Sie auf Englisch.

Lindner Golfhotel

JULIANA

Wuppertal

Lindner Golfhotel Juliana –

Wuppertal „*Oberbarmen*", am Rande des Bergischen Landes

9 km zum Stadtzentrum Wuppertal

35 km zur Messe und zum Flughafen Düsseldorf

25 km zum Messegelände Essen

Beste Verkehrsanbindung durch

unmittelbaren Anschluß an die BAB 46

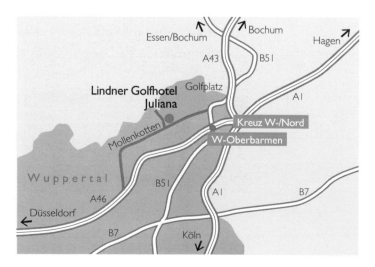

135 komfortable Zimmer und
Suiten, davon 3 exklusive
Boardinghouse-Appartements
Kategorisierung in Business-
und Economy-class
Restaurant „Wintergarten" – mit täglich
wechselndem Lunch-Buffet

11 Konferenz- und Banketträume für
10 – 260 Personen, alle mit Tageslicht
Modernste Kommunikations- und
Medientechnik, Tagungsraum
„AUDITORIUM TECHNIKUM" mit
eigener Regiekabine

A la carte Restaurant „Juliana" –
internationale Gourmetküche, beide
Restaurants mit Gartenterrassen
„London Life Pub" – Drinks
und Biere vom Faß, warme und
kalte Snacks bis nach Mitternacht
Fitness-Center auf über 600 m^2 mit
Saunalandschaft, Dampfbad, Solarium,
Schwimmbad und Callanetics
18-Loch Golfplatz angrenzend,
Golfarrangements auf Anfrage

The Linder Golfhotel Juliana is 9 km from . . . . , 35 km from
. . . . and 25 km from . . . . It has 135
. . . . and 11 . . . . The . . . .
covers an area of over 600 square metres and there is an 18-. . . . .
right next to the hotel.

14 Now listen to someone making a conference booking over the phone. The conversation is summarised in the sentences below. Fill in the gaps with the missing information.

Bitte hören Sie und schreiben Sie.

1 Der Anrufer möchte einen Konferenzraum für . . . . . . Personen für den
. . . . reservieren.

2 Er braucht den Raum von . . . . . . bis . . . . . . Uhr und möchte auch
ein . . . .

3 Der Gast heißt Herr . . . .

Spelling names

How do you ask people to spell their names?

> Wie schreibt man das, bitte?
>
> Können Sie das bitte buchstabieren?
>
> Buchstabieren Sie, bitte!

---

  15 Practise spelling names using the activities cassette and the names listed below. First you will be asked for your name, then you will be asked to spell it. Speak in the pauses after the questions.

Bitte sprechen Sie.

1 Krause

Rezeptionistin Wie ist Ihr Name?

Gast Krause.

Rezeptionistin Wie schreibt man das?

Gast K R A U S E.

der Bindestrich hyphen 2 Meyer-Sert

3 Zervas

4 Yakuphan

16 Now read the story and find out where Heike is going to stay while she is in Wuppertal and how Heike and Thomas get there.

Bitte lesen Sie und beantworten Sie die Fragen.

· ·

„So – mein Auto ist dort drüben", sagt Thomas. Heike fragt: „Ich suche ein Hotel in der Nähe. Kennst du eins?" „Nein, Heike, du kannst bei meinen Eltern wohnen.

kennenlernen to get to know

leer empty

macht nichts never mind

so ein Mist damn! what a nuisance!

Sie haben Platz genug in ihrem Haus. Meine Mutter hat immer gerne Besuch, und mein Vater möchte dich auch gerne kennenlernen." „Das ist wirklich nett", sagt Heike. „Wenn wir mit dem Orchester auf Tournee sind, muß ich oft im Hotel übernachten. Das ist immer sehr unpersönlich. Was machst du eigentlich?" „Ich bin Student." „Und was studierst du?" fragt Heike. „Ich studiere Medizin an der Uni in Köln. Aber jetzt sind Semesterferien, und ich arbeite im Café." Tuk … Tuk … Tuk … „Mist – die Batterie ist leer. Das ist noch nie passiert." Thomas wird nervös, Heike amüsiert sich: „Macht nichts. Ich fahre sowieso lieber Schwebebahn." „Na gut, dann hole ich das Auto später ab. So ein Mist."

• •

1 Where will Heike be staying in Wuppertal?

2 How do Thomas and Heike finally get to his parents' house?

17 Now decide whether the statements below are true or false.

Bitte kreuzen Sie an.

		richtig	falsch
---	---	:-::	:-:
1	Die Meyers haben nicht viel Platz, und Heike muß im Hotel übernachten.	❑	❑
2	Heike übernachtet sehr selten im Hotel.	❑	❑
3	Thomas studiert an der Universität in Köln.	❑	❑
4	Es gibt ein Problem mit dem Auto.	❑	❑
5	Der Benzintank ist leer.	❑	❑
6	Heike fährt gerne Schwebebahn.	❑	❑

Using personal pronouns in the accusative

Look once more at these two phrases which you first saw in the picture story at the beginning and in the story above.

Karin hat gesagt, du holst **mich** ab.

Mein Vater möchte **dich** gerne kennenlernen.

Mich and *dich* are the accusative forms of the personal pronouns *ich* and *du*. They are used when the personal pronoun is the direct object of a sentence.

Er holt **mich** vom Bahnhof ab.   *He meets **me** at the station.*

Er möchte **dich** kennenlernen.   *He would like to get to know **you**.*

They are also used after some prepositions, such as *für* and *ohne*.

Für **mich** ein Stück Streuselkuchen.   (See *Sonntag nachmittag* page 22.)

Here is a complete list of the personal pronouns discussed so far.

Nominative case	Accusative case
ich (*I*)	mich (*me*)
du (*you*, informal, singular)	dich (*you*)
er (*he*)	ihn (*him*)
sie (*she*)	sie (*her*)
es (*it*)	es (*it*)
wir (*we*)	uns (*us*)
ihr (*you*, informal plural)	euch (*you*)
Sie (*you*, formal, singular and plural)	Sie (*you*)
sie (*they*)	sie (*them*)

18

Now complete these sentences using the correct pronouns from the above list.

Bitte schreiben Sie.

1 Dann bis morgen, Herr Hueber. Ich hole . . . . . . vom Bahnhof ab.

2 Es tut mir leid. Herr Berger ist nicht im Hause. Können Sie . . . . . . morgen noch einmal anrufen?

3 Ich habe in fünf Minuten einen Termin. Bitte rufen Sie . . . . . . heute nachmittag noch einmal an.

4 Unsere Freunde aus Amerika kommen am Freitag nach Düsseldorf. Ich hole . . . . . . vom Flughafen ab.

5 Hallo, ein Glas Mineralwasser für meinen Mann, bitte, und für . . . . . . eine Tasse Kaffee.

6 Wir kommen am Donnerstag mittag. Bitte holen Sie . . . . . . um 16 Uhr vom Bahnhof ab.

7 Wann kommt ihr endlich nach Wuppertal? Ich möchte . . . . . . gerne kennenlernen.

19

Here is a list of adverbs that can be used to say how often something is done. Rank them from 1 to 6 according to their frequency, in which 1 = always and 6 = never. Then read the story again to see how some of them are used in context.

Bitte schreiben Sie.

nie oft selten meistens immer manchmal

1 immer

2 _____

3 _____

4 _____

5 _____

6 _____

Abend

Heike has arrived and everyone sits down to eat. Thomas is intrigued by Heike's references to Felix – who could this be?

Key points

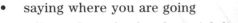

- talking about the weather
- talking about leisure activities
- saying where you are going
- talking about food and special diets

Regnet es immer so viel im Wuppertal?

Nein, manchmal schneit es auch.

$$^\circ C = \frac{5}{9}(^\circ F - 32)$$

$$^\circ F = \frac{9}{5}\,^\circ C + 32$$

20 What's the weather like in Wuppertal when it's not raining, according to Thomas? Mark the correct symbol with a cross.

Bitte kreuzen Sie an.

1

2

3

21 What would you drink if you arrived at Café Einklang soaking wet? Mark the appropriate box with a cross, then find out what the customer in the dialogue orders. Read the dialogue carefully as you will need to answer questions on it later in the session.

Bitte kreuzen Sie an und lesen Sie.

einen Tee mit Zitrone	❑
einen Tee mit Milch	❑
eine heiße Schokolade	❑
einen Whisky	❑
eine russische Schokolade (das ist Schokolade mit Rum)	❑
einen Grog (das ist Rum mit Zucker und heißem Wasser)	❑

Am Abend kommen die Stammtischgäste (*the regulars*). Alle sind naß, denn es regnet in Strömen (*it's pouring with rain*)!

Wolfgang   Das ist ja eine richtige Sintflut.

Gast 1   Das kann man wohl sagen! Und es ist ganz schön kalt! Brr … ich friere. Ich hätte gerne einen Grog.

Wolfgang   Kommt sofort!

Gast 1   So ein Mist! Und ich möchte am Wochenende doch im Garten arbeiten. Hast du den Wetterbericht gehört?

bleiben   to stay

Gast 2   Nein, aber ich glaube, das Wetter bleibt schlecht.

Gast 1   Macht nichts. Ich habe sowieso ein Marketing-Seminar.

Wolfgang   Um 19 Uhr kommt im Radio das Wochenendwetter. Hoffentlich ist es am Samstag schön. Meine Frau und ich wollen nämlich auf den Flohmarkt in Barmen gehen.

der Flohmarkt fleamarket

Gast 2   Und wir wollen mit den Kindern in den Zoo gehen.

22 Now listen to the weather forecast on the activities cassette and underline the expressions you hear in the box below.

Bitte hören Sie.

12 Grad Celsius   Regen   naß   am Nachmittag scheint die Sonne   windig
Gewitter   zwischen 12 und 15 Grad   kalt   heiß   neblig   Schnee

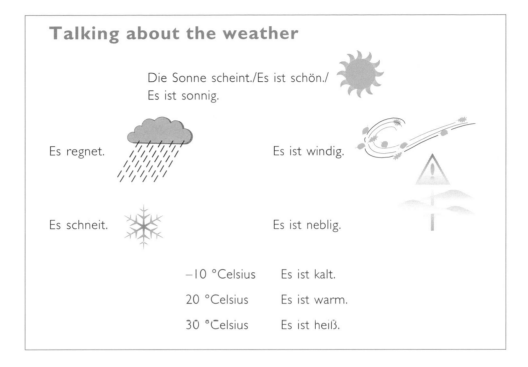

Talking about the weather

Die Sonne scheint./Es ist schön./
Es ist sonnig.

Es regnet.

Es ist windig.

Es schneit.

Es ist neblig.

−10 °Celsius   Es ist kalt.

20 °Celsius   Es ist warm.

30 °Celsius   Es ist heiß.

 23 Now complete the table below using the information from the weather forecast you have just heard. You may want to listen to the forecast again.

Bitte hören Sie und schreiben Sie.

	Morgens	Nachmittags	Abends/nachts
Mittwoch	—	—	windig, naß und kalt, 3 bis 6 Grad Celsius
Donnerstag			—
Freitag			
Wochenende			—

24 What would you do on a rainy Saturday? Mark the box you choose with a cross, then read the dialogue to find out what Wolfgang and the Café Einklang customers intend to do.

Bitte kreuzen Sie an und lesen Sie.

lesen ❑   Schach spielen ❑

fernsehen ❑   ins Café gehen ❑

Skat spielen (Skat ist ein Kartenspiel für 3 Personen) ❑

einen Spaziergang machen ❑

mit Kind und Kegel
with the whole family

Gast 2 Also doch schlecht! Na ja, vielleicht können wir ja am Samstag nachmittag mit Kind und Kegel alle wieder ins Café Einklang kommen.

Wolfgang Ja, warum nicht? Meine Frau kann auch kommen, sie spielt gern Skat.

Gast 2 Wollen wir ein Skat-Turnier organisieren?

Schach chess

Wolfgang Gute Idee. Wir haben auch andere Spiele, zum Beispiel Backgammon, Trivial Pursuit oder Schach hier im Café und auch Spiele für Kinder … machen wir einen Spielenachmittag.

Gast 1 Ich weiß nicht. Ich fürchte, ich bin nach meinem Seminar zu müde. Ich bleibe lieber zu Hause im Bett und sehe fern.

der Spielverderber
killjoy

Gast 2 Spielverderber!

25 Now answer the questions about Activities 21–24 in German. Write complete sentences for your answers.

Bitte schreiben Sie.

1 Wie ist das Wetter am Mittwoch abend?   Es ist kalt.

2 Was möchte Gast 1 trinken?   _____

3 Was macht Gast 1 am Wochenende?   _____

4 Was möchte Gast 2 am Wochenende machen?   _____

5 Wie ist die Wettervorhersage für das Wochenende?   _____

6 Was macht Wolfgangs Frau gerne?   _____

7 Gast 2 hat eine Idee. Was möchte er am Samstag nachmittag organisieren?   _____

8 Wie ist die Reaktion von Gast 1?   _____

26 On the cassette you will be asked about the weather forecast for the next few days. Speak in the pause after each question and use the pictures as prompts. You will hear the correct version after your answers.

Bitte sprechen Sie.

1   Mittwoch abend?   3 °C    2   Donnerstag morgen?

3   Donnerstag nachmittag?   3 °C   4   Freitag?

5   am Wochenende?   20 °C

Saying where you are going

Did you notice how people who were talking in the café and in the section on leisure time for *Dienstag* said where they were going?

der Zoo	Ich gehe **in** den Zoo.
der Flohmarkt	Ich gehe **auf** den Flohmarkt.
die Kneipe	Ich gehe **in** die Kneipe.
das Café	Ich gehe **ins** Café.

ins = in das

To say you are going to a place you can use *in* plus the accusative. For some destinations you use *auf* rather than *in* – for squares, markets and sports fields and for official places such as the post office or the town hall, for example.

---

27 Now it's your turn to say where you are going. Complete the sentences below with either *auf* or *in* and the correct article.

Bitte schreiben Sie.

1   Was machen wir am Wochenende? Wollen wir . . . . . . Café gehen?

2   Nein, lieber . . . . . . Museum. Ich möchte mal wieder etwas Kulturelles machen.

3   Ich muß nachher noch . . . . Post gehen und das Paket abholen.

4   Wenn es schneit, können wir nicht . . . . Fußballplatz gehen.

5   Wenn es regnet, gehen wir . . . . Kneipe.

6   Ich reserviere dann die Übernachtung mit Frühstück für Sie. Möchten Sie lieber . . . . Hotel oder . . . . Gasthof gehen?

28

Now read the story and then summarise it in German by putting the phrases from the list below in the correct order.

Bitte lesen Sie und schreiben Sie.

· ·

warten to wait

es klopft an der Tür there's a knock on the door

Irfan und Karin sind in der Küche. Draußen regnet es in Strömen. Karin steht am Fenster und wartet auf Heike. Es klopft an der Küchentür. „Heike! Heike, da bist du ja!" „Karin! Wie geht es dir?" „Danke, gut. Und dir? Und wie geht es Felix?" „Felix? Ihm geht es auch gut." „Felix, wer ist Felix?" denkt Thomas. Heike sitzt beim Essen neben Thomas. „Wer ist Felix?" „Oh also …" „Ist Felix dein Partner?" „Na ja, also …" Irfan bringt den Salat aus der Küche. „Und danach gibt es Gemüsepizza", erklärt Karin. „Super", sagt Heike, „kein Fleisch." „Ach, du bist Vegetarierin?" fragt Thomas. „Ich bin auch Vegetarier. Ich esse seit sechs Jahren kein Fleisch."

· ·

sich freuen to be glad, happy, pleased

Karin will wissen, wie es Felix geht.   In Wuppertal ist sehr schlechtes Wetter …   Es gibt Gemüsepizza und Salat, weil Heike und Thomas beide Vegetarier sind.   … und die Meyer-Serts warten auf Heike.   Alle freuen sich, als sie schließlich kommt.
Beim Essen sitzt Heike neben Thomas.

29

Among the customers at the café are some who have special dietary requirements. Which of the following statements are true for a vegetarian or a diabetic? Match the statements to the person by drawing lines from the left to the right column.

Bitte ordnen Sie zu.

kalorienarm low in calories

dürfen (to be allowed to)

ich darf
du darfst
er, sie, es darf
wir dürfen
ihr dürft
Sie dürfen
sie dürfen

I   Ich bin Vegetarier/in.

2   Ich bin Diabetiker/in.

a   Ich darf kein Fett essen.

b   Ich esse kein Fleisch.

c   Ich muß viele kleine Gerichte am Tag essen.

d   Ich darf nicht zu viel Zucker essen.

e   Ich muß kalorienarme Gerichte essen.

f   Ich esse Sojaprodukte wegen der Proteine.

g   Ich esse viel Obst und Gemüse.

More about modal verbs

Dürfen is another modal verb like *können, mögen, müssen, sollen* and *wollen* (see *Dienstag* page 69). It means 'may' or 'be allowed to'. When used in the negative it means 'not be allowed to'. For example, *ich darf* is 'I'm allowed to'; *ich darf nicht* is 'I'm not allowed to' or 'I mustn't'. *Ich muß nicht*, on the other hand, means 'I don't have to'.

30 As there are more and more *Vegetarier/innen* among their guests, Karin and Irfan have decided to create a new menu with a larger variety of dishes. They also want to cater for diabetics. They have decided on a new layout for the menu to make it look better. Use the dishes jumbled up in the box to complete the new menu below, putting the dishes under the right headings. The choice of drinks is up to you!

Bitte schreiben Sie.

> Hähnchen mit Pommes frites und Salat   Fischfilet mit Reis
> Zwiebelsuppe mit Speck   Soja-Gulaschsuppe   Schinken-Käse-Toast
> Klare Rinderbrühe   Eisbecher Hawaii   Diabetiker-Eis (Vanille oder
> Schokolade)   Gemüsepizza   Nudelauflauf mit Brokkoli   Schnitzel mit
> Bratkartoffeln   Steak mit Pfifferlingen in Rahmsoße   Rote Grütze mit
> Vanillesoße   Tagliatelle mit frischem Lachs   Schokoladencreme mit
> Mandeln   Spinat-Lasagne   Tomatensuppe

Gaumen (pl)   taste buds

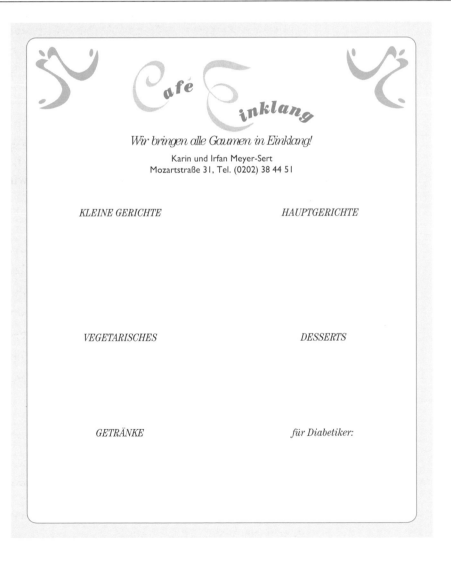

Wuppertal

If you now listen to *Thema 4* on the independent listening cassette you will hear people talking about their work.

Checkliste

Now you can

- make a booking at a café or restaurant (*Vormittag* page 79)

- make some kinds of telephone call (*Vormittag* page 83–4)

- use ordinal numbers and speak about dates (*Vormittag* page 83)

- check in at an hotel (*Nachmittag* page 87)

- use personal pronouns in the accusative (*Nachmittag* page 91–2)

- understand more adverbs of time (*Nachmittag* page 92)

- talk about the weather (*Abend* page 95)

- use the accusative to say where you are going (*Abend* page 97)

- use more language dealing with food and special diets (*Abend* page 98–9)

. . . . . . # Testaufgaben

A Complete the following phrases which are taken from a telephone conversation. In each case just one word is missing.

1 . . . . . . ist Sert.

2 Ich möchte gern Frau Schmidt . . . .

3 Einen Moment, bitte. Ich . . . .

4 Frau Schmidt ist im Moment nicht im Hause. Bitte rufen Sie später noch . . . . . . an.

5 Ja, in Ordnung. Auf . . . .

B Complete the sentences using the correct personal pronoun.

1 Für . . . . . . eine heiße Schokolade, bitte.

2 Liebe Susanne und lieber Dominik, heute schreibe ich . . . . . . einen Brief, weil …

3 Mein Mann und ich gehen nie ins Hotel, immer auf einen Campingplatz. Das ist für . . . . . . am billigsten.

4 Möchtest du morgen abend zum Essen kommen? Mein Mann möchte . . . . . . gerne kennenlernen.

5 Wo ist das Büro vom Geschäftsführer, bitte? Ich habe ein Fax für . . . . . .

C Match up the questions with the correct answers.

1	Wann brauchen Sie den Konferenzraum am Freitag?	a	Am liebsten um 9 Uhr.
2	Wann möchten Sie frühstücken?	b	35 km.
3	Wann ist das Seminar?	c	Ja, am Vormittag.
4	Wie weit ist das Hotel vom Messegelände?	d	Am Frcitag, den 3. Oktober.
5	Was sagt der Wetterbericht? Ich habe das nicht verstanden. Gibt es Regen am Samstag?	e	Von 13 bis 17 Uhr.

Donnerstag

. . . . . . ## Vormittag

Thomas finds out more about Heike – but is still in the dark as to the identity of Felix. Irfan is on top of the world – the computer is working and he can start to put orders through to his suppliers.

Key points

*   talking about points of the compass
*   talking about environmental problems
*   expressing likes and dislikes
*   buying and ordering
*   using more personal pronouns

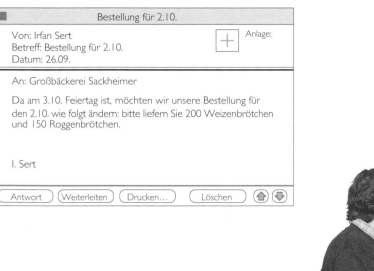

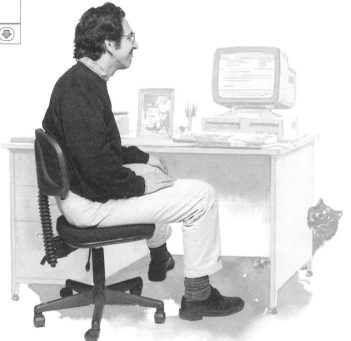

	Answer the two questions below by putting a cross in the correct box.

I

Answer the two questions below by putting a cross in the correct box.

Bitte kreuzen Sie an.

I   Was macht Heike?

    a   Sie kauft einen Pullover für DM 149,90. ☐

    b   Sie verkauft einen Pullover für DM 149,90. ☐

    c   Sie macht einen Pullover für DM 149,90. ☐

ändern   to change

2   Warum ändert Irfan die Bestellung für Brötchen?

    a   Weil am 3.10. Ruhetag ist. ☐

    b   Weil am 3.10. Tag der deutschen Einheit ist. ☐

    c   Weil am 3.10. nicht so viele Gäste kommen. ☐

2 Read the story and answer the questions below in English.

Bitte lesen Sie und beantworten Sie die Fragen.

einsam lonely

allein alone

die Bestellung
bestätigen to confirm
the order

entweder spinne ich,
oder der Computer
spielt verrückt
either I'm going crazy
or the computer is
going mad

• •

Nach dem Frühstück kommt Heike ins Café Einklang. Sie zeigt Fotos von ihrem Dorf südlich von Dresden, Dippoldiswalde. „Dippoldiswalde ist sehr klein. Es gibt nicht viele Geschäfte. Wenn ich einkaufen will, muß ich nach Dresden fahren." „Gefällt es dir dort?" will Thomas wissen. „Ja, ich wohne gerne auf dem Land. Es ist sehr ruhig in Dippoldiswalde, und das gefällt mir." „Ist es nicht ein bißchen einsam? Wohnst du allein in deiner Wohnung?" „Nein, ich wohne mit Felix zusammen." Heike lacht. „Und einen Computer hat sie auch", sagt Irfan, „mit Anschluß ans Internet. Hast du eine e-mail Adresse?" „Ja." „Dann können wir dir immer e-mails senden. Komm, ich zeige dir unseren neuen Computer. Hier, funktioniert jetzt prima: ich bestelle 200 Brötchen für Montag. Hilfe, was ist denn das? ,Wir bestätigen Ihre Bestellung für *2000* Weizenbrötchen'? Entweder spinne ich, oder der Computer spielt verrückt!"

• •

1 Where is Dippoldiswalde situated?

2 How does Heike describe Dippoldiswalde?

3 Can she do all her shopping there?

4 Does she like living in the country?

5 What does she particularly like about it?

6 What is Thomas concerned about?

7 What does Irfan say?

Talking about points of the compass

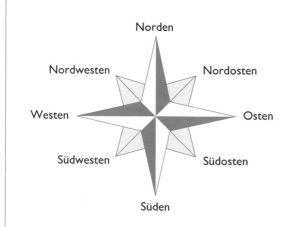

	How do you give the geographic location of a place?
	Dippoldiswalde liegt **südlich von** Dresden.
	nördlich von
	westlich von
	östlich von
	nordöstlich von
	südöstlich von
	südwestlich von
	nordwestlich von

Use your map of Germany on page 10 in order to answer the following questions using the places given in brackets as reference points.

Bitte schreiben Sie.

liegen   to be situated

I   Wo liegt Thüringen? (Bayern)   Thüringen liegt nördlich von Bayern.

2   Wo liegt Sachsen? (Thüringen)   _____

3   Wo liegt Rheinland-Pfalz? (Nordrhein-Westfalen)   _____

4   Wo liegt Baden-Württemberg? (Bayern)   _____

5   Wo liegt Stuttgart? (München)   _____

6   Wo liegt Potsdam? (Berlin)   _____

7   Wo liegt Magdeburg? (Hannover)   _____

8   Wo liegt Deutschland? (Großbritannien)

Expressing likes and dislikes

How do you ask someone about his/her likes or dislikes?

Informal: Gefällt es dir in Dippoldiswalde?

Wohnst du gerne in Dippoldiswalde?

Formal: Gefällt es Ihnen in Dippoldiswalde?

Wohnen Sie gerne in Dippoldiswalde?

How do you say what you like?

Ja, es gefällt mir (dort/auf dem Land/in Dippoldiswalde).

Ja, ich wohne gerne dort/auf dem Land/in Dippoldiswalde.

How do you say what you dislike?

Nein, es gefällt mir nicht (dort/auf dem Land/in Dippoldiswalde).

Nein, ich wohne nicht gerne dort/auf dem Land/in Dippoldiswalde.

4 Heike asks Irfan whether he likes living in Germany. Re-order the sentences below to put their conversation into the correct sequence.

Bitte ordnen Sie.

– Warum?

– Aber du kommst doch aus einer Großstadt!

– Gefällt es dir in Deutschland?

– Es gibt zu viele Menschen … 10 Millionen Einwohner!

– Es ist sehr ruhig, das gefällt mir, und meine Eltern leben gerne dort.

– Aus welcher Stadt in der Türkei kommst du, Irfan?

– Und wo wohnt deine Familie?

der Stadtmensch
someone who likes
living in town

– Du bist also auch kein Stadtmensch!

– Und wie gefällt es dir in Wuppertal?

– Aus Istanbul.

– Und wie ist es dort?

– Nein, ich wohne lieber auf dem Land … wie du!

– Meine Eltern leben jetzt auf dem Land, südöstlich von Istanbul.

– Istanbul gefällt mir nicht, es ist zu laut.

– Na ja, ich wohne nicht gerne in der Stadt.

– Ja, ich lebe gerne hier.

5 In his conversation with Heike, Irfan gives opinions about Wuppertal, Germany, Istanbul and Turkey. Find examples of how he says that he likes, dislikes or prefers something and write them down in the table below.

Bitte schreiben Sie.

Likes	Dislikes	Preferences
ich lebe gerne hier		

 1 **6** Use your cassette to listen to the second part of the conversation between Heike and Irfan. They speak about the pollution (*Umweltverschmutzung*) caused by too much traffic (*Verkehr*). Decide who says what by putting a cross in the appropriate box.

Bitte hören Sie und kreuzen Sie an.

	Heike	Irfan
zu viele Autos, zu viel Verkehr	☐	☐
nicht genug öffentliche Verkehrsmittel	☐	☐
im Ruhrgebiet ist es auch nicht viel besser	☐	☐
es gibt viel Industrie hier	☐	☐
die Umweltverschmutzung ist ein Problem	☐	☐
nicht so große Verkehrsprobleme wie in Istanbul	☐	☐
auch Probleme mit dem Verkehr	☐	☐
es gibt immer mehr Autos	☐	☐
Schwebebahn: keine Umweltverschmutzung	☐	☐
ein geniales Verkehrsmittel	☐	☐

nicht genug not enough

das Ruhrgebiet the Ruhr area

es gibt there is/there are

immer mehr more and more

7 Now write a short paragraph (about 50 words) in English about the main points of the conversation between Heike and Irfan.

Bitte schreiben Sie.

8 Heike wants to go shopping while she is in Wuppertal. Below are some extracts from conversations she has in shops. Use them to find the German expressions for the English phrases to do with buying or ordering below. You will need to look back at the picture story at the beginning of *Donnerstag*.

Bitte lesen Sie und schreiben Sie.

a – Kann ich mit Kreditkarte bezahlen?
– Ja, natürlich.

b – Können Sie ein Buch für mich bestellen? Ich hole es dann am Montag ab.
– Ja, das ist kein Problem. Wie ist Ihr Name, bitte?

c – Bitte, haben Sie die Hose auch in schwarz in Größe 38?
– Nein, tut mir leid.

d – Möchten Sie eine Tüte?
– Nein danke, das geht so.

e – Kommen Sie zurecht?
– Ja, ich schaue nur.

f – Ich hätte gern das Seidentuch in Grü... für meine Freundin. Kann ich es umtauschen, wenn es ihr nicht gefällt'
– Ja, aber Sie dürfen den Kassenzettel nicht verlieren.

g – Ich suche einen Englischkurs für Kinder auf CD-ROM.
– Ja, ich zeige Ihnen, was wir haben.

  1 I'll take …   _____

  2 I'm looking for …   _____

  3 Can you order … for me?   _____

  4 in black   _____

  5 in size 38   _____

  6 Can I change it?   _____

  7 I'm just looking around.   _____

  8 the till receipt   _____

  9 Do you need any help?   _____

10 Would you like a carrier bag? _____

11 our order   _____

12 please supply …   _____

Buying and ordering

How do you enquire about a certain item and then say you'd like to buy it?

Ich suche		Ich nehme		
	ein**en** Pullover.		**den** Pullover.	(der Pullover)
	ein**e** CD-ROM.		**die** CD-ROM.	(die CD)
	ein Buch.		**das** Buch.	(das Buch)

How do you ask whether you can change something?

der Pullover	**Er** (_or_ **der**) ist zu groß.	Kann ich **ihn** umtauschen?
die Hose	**Sie** (_or_ **die**) ist zu klein.	Kann ich **sie** umtauschen?
das Faxgerät	**Es** (_or_ **das**) funktioniert nicht.	Kann ich **es** umtauschen?
die Schuhe	**Sie** (_or_ **die**) passen nicht.	Kann ich **sie** umtauschen?

Note that you use the personal pronouns _er, sie, es_ (for the subject) or _ihn, sie, es_ (for the direct object see _Mittwoch_ page 92) not just for people, but also for other masculine, feminine or neuter nouns. You will also hear people use the article on its own to refer back to things they've talked about before, as in _Der Pullover – der gefällt mir._

9 Insert the correct personal pronoun (*er*, *sie*, *es*, *ihn*) in the following sentences.

Bitte schreiben Sie.

1 Das Buch gefällt mir nicht. Kann ich . . . . . . umtauschen?

2 Ich nehme die CD-ROM. . . . . . . ist für meine Tochter.

3 Ich nehme den Pullover hier. Kann ich . . . . . . umtauschen, wenn er nicht paßt?

4 Ich möchte ein Faxgerät bestellen. Können Sie . . . . . . nach Dresden senden?

5 Ich möchte einen neuen Drucker, aber . . . . . . darf nicht so teuer sein.

6 Wann können Sie uns die neue Kaffeemaschine liefern? Wir brauchen . . . . . . dringend!

dringend urgently

10 Now read the article below about whether CD-ROMs will soon be replacing books. Here are five points from the article. Pick out the phrases or sentences in the article where these points are made.

Bitte lesen Sie.

1 The facts mentioned in the article are based on a survey.

2 Young people are no longer happy with just a simple plot as in books and films.

3 The CD-ROM allows you to interact.

4 A comparatively small number of CD-ROMS are published every year.

5 It will be difficult for the CD-ROM to take the place of the novel.

CD-ROM contra Buch?

Jugendliche sind nicht mehr mit Texten allein zufrieden. Die Gameboy-Generation braucht andere Medien. Das Fernsehen, bunte Magazine und … den Computer! Verdrängt der Computer das Buch?

Eine Studie des Ehapa-Verlags hat herausgefunden, daß 36% der deutschen Jugendlichen zwischen 6 und 17 Jahren in der Freizeit am liebsten mit dem Computer spielen. Diese Jugendlichen sind nicht mehr mit einem Plot zufrieden, wie es in Büchern oder Filmen zu finden ist. Sie wollen selbst mitmachen! Im Computer-Spiel "MYST", zum Beispiel, können die Spieler in eine fiktive Welt reisen und sich dort frei bewegen.

verdrängen to replace

die Studie survey

der Spieler player

sich bewegen to move

Und bald gibt es auch den interaktiven Spielfilm auf CD-ROM. So wie im Anti-Kriegsfilm "Das Boot" muß der Kapitän (der Spieler) dann auf die Attacken der Feinde reagieren …

Mehr und mehr erobert die CD-ROM die Domäne des Buches. Sie ist das einzige Medium, das den Leser und Zuschauer aktiv teilnehmen läßt.

Verdrängt die CD-ROM in Zukunft das Buch? 1995 gab es 74 000 neue Buchtitel. Insgesamt waren ungefähr 650 000 Bücher lieferbar. Dagegen gab es nur 7000 CD-Titel. Und die Domäne der Romane und Erzählungen kann die CD-ROM außerdem nur schwer erobern, weil das Verhältnis zwischen Leser und Buch ja auch emotional ist.

der Krieg war

erobern to conquer

teilnehmen to participate

der Roman novel

die Erzählung (-en) story

das Verhältnis relationship

• • • • • Nachmittag

Crisis at Café Einklang – a customer is taken ill. The staff rush to summon the emergency services.

Key points

- talking about health
- using the dative

Was ist los?

Oh, ich habe schreckliche Kopfschmerzen, und mir ist schlecht.

The customer at Café Einklang has a terrible headache (*schreckliche Kopfschmerzen*), and he says he feels sick (*mir ist schlecht*). Now it is your turn to say what's wrong with you. On your tape you will hear a question in German followed by a prompt in English. Speak in the pause provided. You will need some but not all of the phrases below. Make sure you understand them before you start working with your tape.

Bitte sprechen Sie.

Ich habe Kopfschmerzen./
Mein Kopf tut weh.

Ich habe Halsschmerzen./
Mein Hals tut weh.

Ich habe Magenschmerzen./
Mein Magen tut weh.

Ich habe Schnupfen.

Ich habe Zahnschmerzen./
Mein Zahn tut weh.

Ich habe Fieber.

Ich habe Rückenschmerzen./
Mein Rücken tut weh.

12 Read the story, then match the people and activities listed below.

Bitte lesen Sie und ordnen Sie zu.

• •

Am Nachmittag ist Karin mit David und Miriam beim Zahnarzt. Heike hilft im Café. Thomas und Heike sind in der Küche, als Irfan hereinkommt. „Thomas, Thomas, wir brauchen einen Arzt." „Was ist los?" fragt Heike. „Ein Gast ist krank. Er hat starke Kopfschmerzen, ihm ist schlecht, und er kann schlecht atmen." Thomas und Wolfgang bringen den Gast ins Büro. „Hier, legen Sie sich auf das Sofa. Ich bringe Ihnen ein Glas Wasser", sagt Irfan. „Wo tut es weh?" fragt Thomas. „Ich habe schreckliche Kopfschmerzen und kann kaum atmen." „Keine Angst, ich rufe den Notarzt." Thomas ruft die Notarztzentrale an. „Bitte schnell einen Arzt in die Mozartstraße 31, Café Einklang."

• •

kaum hardly

atmen to breathe

helfen (to help)
ich helfe
du hilfst
er, sie, es hilft
wir helfen
ihr helft
Sie helfen
sie helfen

1 Ein Gast   **a** hilft im Café.

2 Irfan   **b** bringt ein Glas Wasser.

3 Thomas   **c** ruft den Notarzt an.

4 Heike   **d** ist beim Zahnarzt.

5 Karin   **e** hat Kopfschmerzen und kann schlecht atmen.

13 Now unjumble this conversation between the doctor on call and his patient and write it out in full.

Bitte ordnen Sie und schreiben Sie.

– Nein.

– Nein, erst seit 30 Minuten.

– Was fehlt Ihnen denn?

– So – dann gebe ich Ihnen ein Mittel gegen die Schmerzen. Und morgen müssen Sie Ihren Hausarzt konsultieren. In welcher Krankenkasse sind Sie?

– Haben Sie auch Schmerzen in der Brust?

– Ach, es geht mir wieder etwas besser, aber ich habe Kopfschmerzen.

– In der Techniker Krankenkasse.

die Beschwerden   – Haben Sie die Beschwerden schon lange?
symptoms

WISSEN SIE DAS?

In Germany there is no national health service but a number of public health insurance companies, called *Krankenkassen*, who pay doctors for their services to their members. Most people have a family doctor (*Hausarzt*), but it is very common to go straight to a specialist (*Facharzt*).

14 In any German town you will see many doctors' signs similar to those illustrated below. Read them and note down what you think each of the doctors specialises in.

Bitte lesen und schreiben Sie.

Dr. Walter Behrends

Arzt für Orthopädie, Chirotherapie, Plastische Operationen, Sportmedizin

tel 09131 78009
fax 09131 78013

Glockenstraße 14
91054 Erlangen

Dr. Stefan Wenninger

Facharzt für Kinderheilkunde

Brückenstr. 10
60594 Frankfurt   Tel. 069 / 612789

Dr. Sandra Baumeister

Facharztin für Frauenheilkunde
und Geburtshilfe

Sprechstunde   Mo, Di, Do, Fr
8–12 + 14–18 Uhr

Goethestraße 45
25678 Lüneburg   Tel. 04131 9716

Gemeinschaftspraxis

Dr. K. und Dr. H.-D. Schmidhuber
Fachärzte für Zahnmedizin und Kieferchirurgie

Sprechstunde nach Vereinbarung

Am Hohengeren 15
70188 Stuttgart
Tel. 0711 78 67 45

1   Dr. Walter Behrends specialises in _____.

2   Dr. Stefan Wenninger specialises in _____.

3   Dr. K. and Dr. H.-D. Schmidhuber specialise in _____.

4   Dr. Sandra Baumeister specialises in _____.

Visiting the doctor

What would the doctor say?

Was fehlt Ihnen?

How do you say what's wrong?

Ich habe Halsschmerzen./Mein Hals tut weh.

How does the doctor ask for how long you've been ill?

Haben Sie die Schmerzen schon lange?

Haben Sie die Beschwerden schon lange?

How do you reply?

Ja, schon eine Woche.

Nein, erst zwei Tage.

---

 3 **15** You are visiting the doctor, who will open the conversation. Listen to the English prompts on the cassette and speak in the pauses.

Bitte sprechen Sie.

16 Now read the conversation between the doctor and another patient, Frau Hollbein, and then correct the English statements below.

Bitte lesen Sie und korrigieren Sie.

Ärztin So, Frau Hollbein, ich verschreibe Ihnen noch ein paar Tabletten. Nehmen Sie jeden Abend eine Tablette bevor Sie ins Bett gehen. Für heute abend gebe ich Ihnen eine Tablette.

Patientin Vielen Dank, Frau Doktor!

Ärztin Nichts zu danken, ich helfe Ihnen gerne. Meine Sprechstundenhilfe gibt Ihnen das Rezept, und dann können Sie nach Hause gehen.

wissen (to know)
ich weiß
du weißt
er, sie, es weiß
wir wissen
ihr wißt
Sie wissen
sie wissen

das Trimmrad
exercise bicycle

Patientin Auf Wiedersehen.

Ärztin Auf Wiedersehen, Frau Hollbein … und Sie wissen ja, keinen Alkohol, keinen Kaffee …

Patientin … keine Zigaretten … ja, ja, ich weiß.

Ärztin Und machen Sie ein bißchen Sport! Ich empfehle Ihnen den neuen Fitness-Club in Barmen.

Patientin Mein Mann sagt, er schenkt mir zu Weihnachten ein Trimmrad!

Ärztin Na wunderbar! Auf Wiedersehen, Frau Hollbein!

1   The doctor prescribes Frau Hollbein a cough mixture.

The doctor prescribes her tablets.

2   She should take her medication every night before dinner.

3   The doctor hands her the prescription herself.

4   She says Frau Hollbein should give up fatty foods and cigarettes.

5   The doctor tells her not to do too much sport.

6   Frau Hollbein has an exercise bicycle at home.

Using personal pronouns in the dative case

You have learnt about personal pronouns in the nominative (for example *ich*) and in the accusative (for example *mich*) (see *Mittwoch* page 92). Some verbs and expressions, however, require a personal pronoun in the dative (for example *mir*). In the following expressions the personal pronouns are in the dative.

Wie geht es **Ihnen**?	*How are you?*
Mir gehr es gut.	*I am well.*
Was fehlt **Ihnen**?	*What's the matter with you?*
Kann ich **Ihnen** helfen?	*Can I help you?*
Mir ist schlecht.	*I feel sick.*
Dippoldiswalde gefällt **mir**.	*I like Dippoldiswalde.*

The dative is also used when you say that you give (or recommend or send) something to someone, i.e. when a verb takes two objects. For example: *Ich gebe **Ihnen** (indirect object) **eine Tablette** (direct object).*

Ich gebe **Ihnen** eine Tablette.	*I give you a tablet.*
Ich verschreibe **Ihnen** ein Medikament.	*I prescribe you some medication.*
Ich empfehle **Ihnen** den Fitness-Club.	*I recommend the fitness club to you.*
Mein Mann schenkt **mir** ein Fahrrad.	*My husband gives me a bicycle.*

Here is the complete set of personal pronouns in the nominative, accusative and the dative.

Nominative	Accusative	Dative
ich	mich	mir
du (informal singular)	dich	dir
er	ihn	ihm
sie	sie	ihr
es	es	ihm
wir	uns	uns
ihr (informal plural)	euch	euch
Sie (formal singular and plural)	Sie	Ihnen
sie	sie	ihnen

  Now listen to the dentist talking to Karin and the children. Fill in the gaps in the sentences with the personal pronouns he uses from the box below. Some of the pronouns are in the nominative and some are in the dative. You will need to use some of the pronouns more than once. Note: the dentist mentions *Beate*. She is his assistant (*die Zahnarzthelferin*).

Bitte hören Sie und schreiben Sie.

du Ihnen dir Sie euch

1 So, und was fehlt . . . . . . , David? Hast . . . . . . auch Zahnschmerzen wie deine Schwester?

2 So, Miriam. Beate gibt . . . . . . jetzt das Rezept, und dann kannst du mit Mama und David nach Hause gehen.

3 Aber Frau Meyer-Sert, Sie wissen doch, ich helfe . . . . . . gerne.

4 Und dann kommen Sie bitte in ein paar Wochen wieder. Beate gibt . . . . . . einen Termin.

5 Ach ... und Frau Meyer-Sert, ich empfehle . . . . . . eine Zahncreme mit Fluor für . . . . . . und die Kinder.

6 Hier, David und Miriam, ich schenke . . . . . . eine Tube Zahnpasta. Ihr müßt heute abend gleich Zähne putzen!

18 Now replace the names of the people in bold type below with the appropriate personal pronoun in the dative. Write complete sentences.

Bitte schreiben Sie.

geben (to give)
ich gebe
du gibst
er, sie, es gibt
wir geben
ihr gebt
Sie geben
sie geben

1 Die Ärztin verschreibt **Frau Hollbein** Tabletten.
Die Ärztin verschreibt **ihr** Tabletten.

2 Sie empfiehlt **Frau Hollbein** einen neuen Fitness-Club in Barmen.

3 Karin schenkt **Irfan** Blumen.

4 Heike hilft **Irfan und Thomas** im Café.

5 Die Verkäuferin empfiehlt **Karin** einen eleganten Pullover.

6 Der Zahnarzt gibt **David und Miriam** eine neue Zahncreme.

7 Thomas möchte **Heike** gerne einen Kuß (!) geben.

Note that *es gibt* is a fixed expression meaning 'there is' or 'there are'. It is followed by an object in the accusative:

Es gibt zu viele Autos in Wuppertal.

Es gibt einen Supermarkt in Dippoldiswalde.

• • • • • • Abend

Crisis over … and Thomas, Heike and Irfan have a chance to talk about their family backgrounds.

Key points

- talking about countries, nationalities and languages
- using the dative

19 You have come across some words for nationalities and languages earlier in this book (see *Montag* page 44). Here's an opportunity to revise them. Fill in the gaps in these sentences with the appropriate nationality or language.

Bitte schreiben Sie.

1 Irfan Sert ist . . . . Er spricht . . . . . . und Deutsch.

2 Frau Catt kommt aus Schottland. Sie ist . . . .

3 Herr Schwartz kommt aus den USA. Er ist . . . .

4 Herrn Niemeyers Firma exportiert viel nach Italien, aber er spricht nicht
. . . .

5 Wolfgang Klose macht einen . . . . . .-Kurs, weil er und seine Frau gerne nach Frankreich fahren.

20 Now read the story to find out where Heike comes from originally, then answer the questions below in German. You may wish to use the words for 'his' (*sein/ seine*) and 'her' (*ihr/ihre*) in your answers.

Bitte lesen Sie und beantworten Sie die Fragen.

• •

die Heimat the place where you feel at home

der/die Ausländer/in foreigner

wichtig important

neugierig curious

Die letzten Gäste sind weg. Karin, Irfan, Heike und Thomas sitzen zusammen im Café. Heike zeigt ihre Fotos. „… Und das ist meine Mutter. Sie kommt aus Polen." „Ach … dann bist du Polin?", fragt Irfan. „Nein, ich bin Deutsche, und ich lebe seit 23 Jahren in Deutschland. Hier ist meine Heimat. In Polen bin ich Ausländerin." „Ja, das kenne ich", sagt Irfan, „ich bin Türke, das ist wichtig für mich, aber die Türkei ist nicht mehr meine Heimat. Ich wohne seit 32 Jahren in Deutschland. Hier ist meine Familie, hier leben meine Freunde."
Thomas ist neugierig: „Hast du kein Foto von Felix?" „Nein, das sind alte Fotos!" antwortet Heike. „Ach, du kennst Felix noch nicht lange?" fragt er. „Also – ich kenne Felix seit 10 Jahren …", sagt Heike.

• •

1 Woher kommt Heikes Mutter?

2 Seit wann lebt Heike in Deutschland?

3 Was sagt Heike über sich selbst und Polen?

über sich selbst about him/herself

4 Wo ist Irfans Heimat und warum?

5 Seit wann kennt Heike Felix?

Describing nationalities and languages

In German the words for a person's nationality (e.g. he or she is English) and the language (e.g. he or she speaks English) are not identical.

Er ist **Engländer**.   Er spricht **Englisch**.

Sie ist **Engländerin**.   Sie spricht **Englisch**.

Here are some more countries, nationalities and languages.

Country	Nationality	Language
China	Chinese/Chinesin	Chinesisch
Dänemark	Däne/Dänin	Dänisch
Deutschland	Deutscher/Deutsche	Deutsch
Frankreich	Franzose/Französin	Französisch
Griechenland	Grieche/Griechin	Griechisch
der Iran	Iraner/Iranerin	Persisch
Irland	Ire/Irin	Englisch/Irisch
Italien	Italiener/Italienerin	Italienisch
Japan	Japaner/Japanerin	Japanisch
Österreich	Österreicher/Österreicherin	Deutsch
Polen	Pole/Polin	Polnisch
Portugal	Portugiese/Portugiesin	Portugiesisch
Rußland	Russe/Russin	Russisch
Schottland	Schotte/Schottin	Englisch/Gälisch
die Schweiz	Schweizer/Schweizerin	Deutsch/Französisch/Italienisch/Rätoromanisch
Spanien	Spanier/Spanierin	Spanisch
Südafrika	Südafrikaner/Südafrikanerin	Englisch/Afrikaans/Zulu …
die Türkei	Türke/Türkin	Türkisch
die USA	Amerikaner/Amerikanerin	Englisch
Wales	Waliser/Waliserin	Englisch/Walisisch

5 | **21**

First write down which country the people below come from and what their nationality is; then check with your cassette.

Bitte schreiben Sie und hören Sie.

I Mick Jagger kommt aus England. Er ist Engländer.

2 Gina Lollobrigida   _____

3 Jean-Paul Gaultier   _____

4 Vasco da Gama   _____

5 Maria Theresia   _____

6 Pablo Picasso   _____

7 Hägar der Schreckliche   _____

8 Nelson Mandela   _____

Using prepositions + the dative

In the table on page 120 some countries were listed which take an article. They were *der Iran* (m), *die Schweiz* (f), *die Türkei* (f) and *die USA* (plural). If you want to use the expression *ich komme aus …* with any of these, the article must be in the dative case because *aus* is always followed by the dative. Other prepositions which always take the dative are, for example, *mit*, *zu*, *bei*, *von* and *nach*. You have come across personal pronouns in the dative in *Donnerstag nachmittag*. Here are examples of the definite article in the dative.

m	der Iran	Ich komme aus **dem** Iran.
f	die Türkei	Ich komme aus **der** Türkei.
n	das Ruhrgebiet	Ich komme aus **dem** Ruhrgebiet.
pl	die USA	Ich komme aus **den** USA.

22

Karin has been to the wholesaler as well as a few other shops and brought back a number of things for Café Einklang they haven't tried before. Irfan is rather critical and wants to know the origin of the products. Use the place names from this list to complete Karin's answers to his questions.

Bitte schreiben Sie.

> der Atlantik   das Rheingau   die Schweiz
> der Iran   die Ukraine   die USA

1   „Also Karin, woher kommt denn der Thunfisch?"
    „Der kommt aus . . . ."

die Pistazien (pl)
pistachio nuts

2   „Und die Pistazien?"
    „Aus . . . ."

3   „Ach, und der Käse, woher kommt der?"
    „Der Käse kommt aus . . . ."

4   „Und der Wein? Wir kaufen doch keinen Wein im Großmarkt!"
    „Der Wein war sehr billig und kommt aus . . . ."

5   „Was ist das? Wodka? Wir brauchen keinen Wodka hier. Woher kommt der?"
    „Der kommt aus . . . ."

6   „Ach – und die Computer-Software?"
    „Die kommt aus . . . ."

23   Read the following biographical details about the German Heinrich Schliemann, an unusual man.

Bitte lesen Sie und beantworten Sie die Fragen.

der Kaufmann
merchant

der Bergwerksbesitzer
mine owner

heiraten to get
married

übersetzen to
translate

das Tagebuch (¨er)
diary

die Doktorarbeit
PhD thesis

sterben (er stirbt) to
die

der Hut (¨e) hat

der Umweg detour

Heinrich Schliemann kommt 1822 in Mecklenburg auf die Welt. Zuerst ist er Kaufmann in Deutschland, dann arbeitet er in einem Büro in Amsterdam, in Holland. Er wird Bankdirektor, Bergwerksbesitzer und schließlich Multimillionär. Im Alter von 44 Jahren studiert er Archäologie, denn er hat Interesse an Homer. Deshalb reist er nach Griechenland. Dort heiratet er die Griechin Sophia Engastromenos. Sie ist dreißig Jahre jünger als er. Er entdeckt Homer's Troja und Mykene. Er reist sehr viel und lernt 12 Sprachen: Französisch, Holländisch, Spanisch, Italienisch, Portugiesisch, Russisch, Schwedisch, Polnisch, Türkisch, Arabisch, Persisch und Griechisch. Jede Sprache lernt er in sechs bis acht Wochen. Seine Methode: sehr viel laut lesen und nicht übersetzen. Er schreibt seine Tagebücher in allen Sprachen. Seine Doktorarbeit schreibt er in altgriechisch. 1890 stirbt er in Neapel, Italien.

Hier ist noch eine Anekdote über Heinrich Schliemann:

„Ich muß schnell nach London fahren, ich brauche ein paar neue Hüte," sagt er zu seiner Frau, „richtige Hüte gibt es nur in London." „Wann kommst du zurück?" fragt seine Frau skeptisch. „Ich weiß noch nicht." antwortet er. Vier Monate später kommt er zurück. Er hat *einen kleinen Umweg* über Kuba gemacht!

1 Woher kommt Heinrich Schliemann?

2 Was ist seine Muttersprache?

3 Was ist er von Beruf?

4 Was macht er im Alter von 44 Jahren?

5 Welche Nationalität hat seine Frau?

6 Welche Sprachen spricht Heinrich Schliemann?

7 Wie lange lernt er eine Sprache?

8 Was ist seine Methode?

9 In welchem Land stirbt er?

10 Wo kauft er seine Hüte?

If you now listen to *Thema 5* on your independent listening cassette you will hear people describing how they keep fit. There will also be an interview with a physiotherapist who talks about her job.

Checkliste

Now you can

- talk about the points of the compass
  (*Vormittag* page 104)

- use *gefällt mir* to say what you like or dislike
  (*Vormittag* page 105)

- understand expressions for describing places and discussing environmental issues
  (*Vormittag* page 106–7)

- use expressions for buying and ordering
  (*Vormittag* page 107–8)

- use more personal pronouns
  (*Vormittag* page 108)

- talk about your health and illness
  (*Nachmittag* page 111)

- use personal pronouns in the dative
  (*Nachmittag* page 115–6)

- talk about countries, nationalities and languages
  (*Nachmittag* page 120-1)

····· Testaufgaben

A   Which question on the right is most like the one on the left?

1   Thomas: „Gefällt es dir in Dresden?"
  - a   Wohnst du gern in Dresden?   ❑
  - b   Wohnst du in Dresden?   ❑
  - c   Wohnst du lieber in Dresden?   ❑

2   Verkäuferin im Kaufhaus:
„Kann ich Ihnen helfen?"
  - a   Haben Sie Probleme?   ❑
  - b   Kommen Sie zurecht?   ❑
  - c   Was fehlt Ihnen?   ❑

3   Heike: „Kann ich mit Kreditkarte bezahlen?"
  - a   Ich möchte mit Kreditkarte bezahlen, geht das?   ❑
  - b   Wie soll ich bezahlen?   ❑
  - c   Ich nehme die Kreditkarte, bitte.   ❑

B   Fill in the personal pronoun in the dative in the sentences below.

1   Guten Morgen, Frau Kleinert. Wie geht es . . . . . . ?

2   Wir suchen einen Kunst-Kalender. Bitte zeigen Sie . . . . . . den Kalender dort drüben.

3   Ach, du warst krank? Hoffentlich geht es . . . . . . jetzt wieder besser.

4   Herr Doktor, bitte geben Sie . . . . . . Tabletten gegen Kopfschmerzen.

5   Hallo Heike, willkommen in Wuppertal. Gefällt . . . . . . unsere Stadt?

6   Was schenkt Frau Schliemann ihrem Mann zu Weihnachten? Sie schenkt . . . . . . ein russisches Buch.

C   Choose the correct response to the sentences below.

1   Woher kommen Sie?
  - a   Polnisch   ❑
  - b   Portugal   ❑
  - c   aus China   ❑
  - d   Franzose   ❑

2   Wo leben und arbeiten Sie?

     a   aus Großbritannien   ❑

     b   Türkisch   ❑

     c   in der Türkei   ❑

     d   Schweiz   ❑

3   Was ist Ihre Muttersprache?

     a   Araberin   ❑

     b   Deutsch   ❑

     c   Schwede   ❑

     d   Japan   ❑

4   Sind Sie …

     a   Englisch?   ❑

     b   Italienerin?   ❑

     c   Iran?   ❑

     d   Schottisch?   ❑

5   Welche Sprachen sprechen Sie?

     a   Portugiesisch   ❑

     b   Grieche   ❑

     c   Brasilien   ❑

     d   Dänin   ❑

Freitag

• • • • • Vormittag

After some initial confusion (is the computer really working properly?) Irfan has a meeting with a representative from a wine company to discuss what wine he's going to order.

Key points

- using adjectives
- making comparisons
- giving reasons using *weil*

> Terminänderung
>
> Von: bahr@fschloß
> Betreff: Terminänderung
> Datum: 27.10.
>
> Anlage:
>
> An: Irfan Sert
>
> Sehr geehrter Herr Sert,
>
> ich habe noch einen Termin in Düsseldorf und kann leider erst um 14 Uhr im Café Einklang sein.
>
> Bahr/Weinhandlung Feldschloß
>
> Antwort   Weiterleiten   Drucken...   Löschen

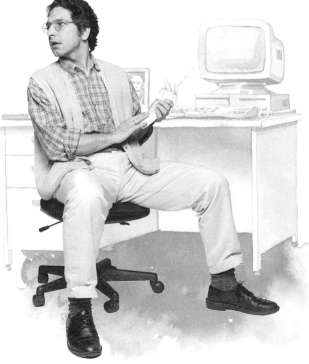

> Karin,
> die Frau von der
> Weinhandlung kommt
> später —
> erst um zwei.

September

○ Sonntag 22

○

○ Montag 23

Dienstag 24

Mittwoch 25

Donnerstag 26

Freitag 27
○ 11.30 Frau Bahr/Weinhandlung Feldschloß

○ Samstag 28

○

I As a result of the message on the computer, Irfan is not expecting Frau Bahr until 2 pm. Read the story to find out what actually happened and mark the correct endings to the sentences below with a cross.

Bitte lesen Sie und kreuzen Sie an.

das Faß barrel

die Nachricht message

darf ich mich setzen? may I sit down?

• •

Um Punkt 11.30 Uhr kommt Frau Bahr von der Weinhandlung Feldschloß ins Café Einklang. Irfan holt gerade ein neues Faß Bier aus dem Keller. „Frau Bahr? Ich denke, Sie haben einen Termin in Düsseldorf und kommen erst um 14 Uhr?" „Das verstehe ich nicht, Herr Sert. Unser Termin ist für 11.30 Uhr, also komme ich um 11.30 Uhr." „Ja, äh … ." Irfan kann das nicht verstehen. Frau Bahr hatte doch eine Nachricht per e-mail gesendet …? „Darf ich mich setzen?" „Äh, ja … natürlich." „Also, möchten Sie gerne wieder 150 Flaschen Grüner Veltliner bestellen?" „Ja, bekommen wir wieder die 3% Rabatt?" „Ja, natürlich … und dann haben wir einen neuen Riesling: der ist trockener als der Döbelsberger Blaufuß und ein wenig teurer, aber auch besser in der Qualität … ." Irfan bestellt 50 Flaschen. „Ach, entschuldigen Sie, Frau Bahr, möchten Sie vielleicht etwas trinken?" „Ja gerne, haben Sie ein Mineralwasser?"

• •

I	Frau Bahr kommt	**a**	um 11.30.	❏
		b	um 14.00.	❏
2	Die Nachricht, die Irfan per e-mail bekommen hat,	**a**	war richtig.	❏
		b	war falsch.	❏
3	Grüner Veltliner ist ein	**a**	Bier.	❏
		b	Wein.	❏
4	Irfan bekommt auf seine Bestellung	**a**	3% Rabatt.	❏
		b	keinen Rabatt.	❏
5	Der neue Riesling ist	**a**	trockener als der Döbelsberger Blaufuß.	❏
		b	lieblicher als der Döbelsberger Blaufuß.	❏
6	Frau Bahr empfiehlt den Riesling,	**a**	weil er billiger als der Döbelsberger Blaufuß ist.	❏
		b	weil er besser als der Döbelsberger Blaufuß ist.	❏

1994

Grüner Veltliner

Kremstal

Qualitätswein L/F 72595

e 750 ml   *trocken*   *alc. 12% vol*

WEINGUT- KELLEREI JOHANN MÜLLNER • KREMS

AUSTRIA

There is a huge variety of German and Austrian wines, many of which have very fanciful names based on the names of the vineyards they come from. The name *Döbelsberger Blaufuß* in the story is invented, but not unrealistic. *Grüner Veltliner* and *Riesling*, just like *Sylvaner* and *Müller-Thurgau*, on the other hand, are varieties of grape.

Wines are also classified according to their quality. Here are some of the most well-known categories, starting with the more basic type and progressing to the most expensive. *Spätlese* means the grapes are picked late in the year when the grapes have more sweetness. *Trockenbeerenauslese* means the (specially selected) grapes are picked even later when they are almost dry and the flavour is even more intense.

- Tafelwein
- Qualitätswein
- Kabinett
- Spätlese
- Trockenbeerenauslese

2

Now match up the adjectives from the box below with the pictures.

Bitte ordnen Sie zu.

| klein jung süß schlecht schön |
| alt billig groß teuer lang hoch |

Making comparisons

How do you compare two things?

Der Riesling Kabinett ist **trockener als** der Döbelsberger Blaufuß.

How do you form the comparative of an adjective?

Trockener is the comparative form of the adjective *trocken*. Here are more examples of regular adjectives.

Adjective	Comparative
billig	billig**er**
süß	süß**er**
schlecht	schlecht**er**
klein	klein**er**
schön	schön**er**

Many adjectives which have 'a', 'o' or 'u' as the central vowel add an umlaut in the comparative. Here are some examples.

jung	**jü**ng**er**
alt	**ä**lt**er**
lang	**lä**ng**er**
groß	**grö**ß**er**

Some adjectives form the comparative in a slightly different way. The second -e- in *teuer* disappears, as does the -c- from *hoch*. *Gut/besser* is very similar to the English 'good/better'.

hoch	**höher**
teuer	teu**rer**
gut	**besser**

Unlike English, the comparative form of all adjectives in German – regardless of their length – is formed by adding *-er*. You can't use 'more' as you can in English, e.g. 'intelligent, more intelligent' (*intelligent, intelligenter*).

3 Now it's your turn to make some comparisons. Write complete sentences using the key words below.

Bitte schreiben Sie.

1 die Mosel   der Rhein   lang   *Der Rhein ist länger als die Mosel.*

2 Miriam   David   alt   _____

3 die Zugspitze   der Mount Everest   hoch _____

4 das Wetter in Wuppertal   das Wetter in Rom   gut _____

5 der Döbelsberger Blaufuß   der neue Riesling   lieblich _____

6 Frankreich   Deutschland   groß _____

7 die Schwebebahn   das Taxi   teuer _____

4 In this activity you will be making some more comparisons. On your cassette you will hear a prompt in German. Speak in the pause provided.

Bitte sprechen Sie.

> Sie hören: Heike ist jung. Und Thomas?
>
> Sie sagen: Thomas ist jünger als Heike.

5 Here is the beginning of a poem by Volker Erhardt, with many examples of comparatives and opposites. Read the poem and see how much you understand. Find the German words for the pairs of opposites in English below.

Bitte lesen Sie und schreiben Sie.

Volker Erhardt: Alles ist relativ

Links ist linker als rechts	Schlank ist schlanker als feist
Oben ist höher als unten	Aufrecht ist aufrechter als gebeugt
Vorn ist weiter vorn als hinten	Männlich ist männlicher als weibisch
Groß ist größer als klein	Sicher ist sicherer als unsicher
Lang ist länger als kurz	Klug ist klüger als dumm
Bunt ist farbiger als uni	Ehrlich ist ehrlicher als unehrlich
Schnell ist schneller als langsam	Reich ist reicher als arm
Stark ist stärker als schwach	Gut ist besser als schlecht
Schön ist schöner als häßlich	Gut ist besser als böse

1 left – right   links – rechts

2 long – short   _____

3 top – bottom   _____

4 fast – slow   _____

5 beautiful – ugly   _____

6 intelligent – stupid _____

7 rich – poor   _____

8 strong – weak   _____

Giving reasons using *weil*

Here are some sentences you have come across in this book where a reason is given for why people are doing something.

> Irfan ändert seine Bestellung für Brötchen, **weil** am 3.10. Feiertag ist.
> *Irfan changes his order for bread rolls, **because** 3 October is a holiday.*

You can use the word *weil* to link the main statement to the reason why.

> Frau Bahr empfiehlt den Riesling. Er ist besser als der Döbelsberger Blaufuß.

> Frau Bahr empfiehlt den Riesling, **weil** er besser als der Döbelsberger Blaufuß **ist**.

Weil affects the word order in the second half of the sentence: the verb in the *weil* clause goes to the end. Here are some more examples.

überrascht surprised

> Irfan ist überrascht, **weil** Frau Bahr schon um 11.30 **kommt**.
> Karin ist mit David und Miriam beim Zahnarzt, **weil** Miriam Zahnschmerzen **hat**.

In sentences with a *weil* clause which include a modal verb (see *Dienstag* page 69), the modal verb goes to the end. The infinitive used with it then appears in the second to last position, as you can see in this example.

> Heike geht in die Stadt. Sie **möchte** einen Pullover und eine CD-ROM kaufen.

> Heike geht in die Stadt, **weil** sie einen Pullover und eine CD-ROM **kaufen möchte**.

6 Now for some practise in using *weil*. Use it to link the two statements given below.

Bitte schreiben Sie.

1 Irfan ist überrascht. Sein Computer spielt verrückt.
   Irfan ist überrascht, weil sein Computer verrückt spielt.

2 Thomas ist überrascht. Heike kennt Felix schon 10 Jahre.

3 Heinrich Schliemann fährt nach London. Er möchte einen Hut kaufen.

4 Heike lebt gern in Dippoldiswalde. Es ist dort sehr ruhig.

5 Die Umweltverschmutzung ist ein Problem im Ruhrgebiet. Es gibt viel Industrie.

6 Karin kauft den Pullover für DM 149,90. Er gefällt ihr.

7 Thomas ruft den Notarzt. Ein Gast hat starke Kopfschmerzen und kann kaum atmen.

8 Irfan sagt, Deutschland ist seine Heimat. Hier leben seine Freunde und seine Familie.

7 Now use your cassette to give more reasons using *weil*. You will hear a question in German – the prompts for your answers are given below.

Bitte sprechen Sie.

Sie hören: Warum schenkt Herr Hollbein seiner Frau ein Trimmrad?
Sie sagen: Weil sie mehr Sport machen muß.

1 Frau Hollbein muß mehr Sport machen.

bekommen to get 2 Irfan möchte einen Rabatt von Frau Bahr bekommen.

3 Heike möchte in Dresden einkaufen.

4 Karin muß mit den Kindern zum Zahnarzt gehen.

5 Heike möchte einen Pullover kaufen.

..... Mittag

While Karin and Irfan are busy serving the lunch-time customers, Heike takes the opportunity to go sightseeing in Wuppertal.

Key points

- asking for directions
- giving directions
- making enquiries

3 8

It sounds as though Heike got lost on her way from the café to the *Schwebebahn*. Now it's your turn to ask for directions in Wuppertal. Make sure you understand the words for the various places in town listed below, then work with your cassette. Listen for the German prompt, then speak in the pause provided.

Bitte sprechen Sie.

Sie hören: der Hauptbahnhof

Sie sagen: Entschuldigung, wo ist der Hauptbahnhof?

---

das Schwimmbad   das Rathaus   der Park   die Universität
der Zoo   die Schwebebahnstation   die Bushaltestelle
der Fluß   das Museum   die Kirche   das Fremdenverkehrsamt
die Buchhandlung   der Hauptbahnhof   die Fußgängerzone

Asking for directions

Here are two ways of asking someone the way.

Entschuldigung, wo ist	der Hauptbahnhof?
	die Buchhandlung „Kalber"?
	das Museum für Frühindustrialisierung?

| Entschuldigung, wo sind | die St. Antonius Kliniken? |

Entschuldigung, wie komme ich	**zum** Hauptbahnhof? (zum = zu dem)
	zur Buchhandlung "Kalber"? (zur = zu der)
	zum Museum für Frühindustrialisierung?
	zu den St. Antonius Kliniken?

Note that the preposition *zu* always takes the dative case.

4   9

Now ask the way to places in Wuppertal using the phrase *wie komme ich zur/ zum ...?* and the prompts on the tape.

Bitte sprechen Sie.

Sie hören: der Fluß

Sie sagen: Entschuldigung, wie komme ich zum Fluß?

Giving directions

Did you understand how to get to the *Museum für Frühindustrialisierung* in the last activity?

Nehmen Sie die erste Straße links, und das Museum ist auf der linken Seite.

How do you give directions?

Gehen Sie/Fahren Sie

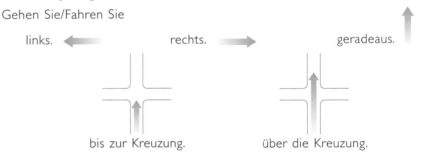

links.   rechts.   geradeaus.

bis zur Kreuzung.   über die Kreuzung.

Nehmen Sie   die erste Straße rechts/links.
die zweite Straße.
die dritte Straße.

Das Museum ist

auf der rechten Seite.   auf der linken Seite.

How do you say how near or far places are?

Es ist nicht weit./
Es ist ganz in der
Nähe.

Es ist weit.

5 **10**

Now imagine that you are in Düsseldorf and that you are going to drive to Wuppertal to attend a meeting at the *Bergische Universität*. Your colleague explains to you how to get there. Fill in the gaps in these notes in German, writing down which motorway (*Autobahn*) you should take, which exit (*Ausfahrt*) it is and how to get from the motorway to the university.

Bitte hören Sie und schreiben Sie.

1   Autobahn . . . . . ,

2   Ausfahrt Wuppertal-. . . . . . , das ist Ausfahrt Nr. . . . . . .

3   zuerst geradeaus, dann . . . . . . , dann wieder . . . . . . (Hofkamp)

4   dann die . . . . . . Straße . . . . . .

5   am . . . . . . vorbei

6   dann . . . . . . in die Blankstraße, und die . . . . ist die Max-Horkheimer-Straße

7   die Bergische Universität ist . . . .

Now listen again and follow the route on the map below, using your notes.

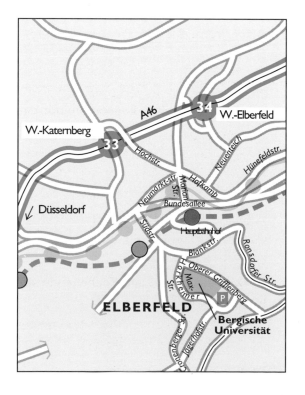

You are in Cologne (Köln). A friend asks you how to get to the *Rathaus* in Wuppertal. Write out the instructions in full using the map for reference.

Bitte schreiben Sie.

> – Also, wie komme ich jetzt zum Rathaus in Wuppertal?
>
> – Sie nehmen die Autobahn …

12 On her way to the *Schwebebahn* Heike goes into the *Buchhandlung „Kalber"*. Read the dialogue between Heike and the assistant and then answer the questions below.

Bitte lesen Sie und beantworten Sie die Fragen.

empfehlen
(to recommend)

ich empfehle
du empfiehlst
er, sie, es empfiehlt
wir empfehlen
ihr empfehlt
Sie empfehlen
sie empfehlen

Verkäuferin Guten Tag. Was kann ich für Sie tun?

Heike Guten Tag, ich hätte gerne einen Stadtplan von Wuppertal. Welche Sehenswürdigkeiten können Sie mir empfehlen?

Verkäuferin Wir haben einige interessante Gebäude in Wuppertal, zum Beispiel die vor kurzem renovierte Stadthalle auf dem Johannisberg, oder besuchen Sie das Fuhlrott-Museum oder den Zoo – der ist sehr schön.

Heike Wann ist das Museum geöffnet, wissen Sie das zufällig?

Verkäuferin Wir haben hier ein paar Broschüren. Also dienstags bis donnerstags von 10 bis 13 Uhr und von 15 bis 20 Uhr. Montags ist es geschlossen.

Heike Ah ja, und am Wochenende schließt es um 17 Uhr. Und was gibt es noch zu sehen?

Verkäuferin Kennen Sie schon unsere Schwebebahn? Von der Schwebebahn können Sie ganz Wuppertal sehen …

Heike Ja, ich bin gerade auf dem Weg zur Schwebebahnstation.

Verkäuferin   So bitte, hier ist der Stadtplan … das macht DM 8,50.

Heike   Vielen Dank.

Verkäuferin   Nichts zu danken.

Heike   Auf Wiedersehen!

1   Was möchte Heike in der Buchhandlung kaufen?

2   Welche vier Sehenswürdigkeiten empfiehlt die Frau in der Buchhandlung?

3   Wann ist das Museum am Mittwoch geöffnet?

4   Wie sind die Öffnungszeiten am Wochenende?

Making enquiries

How do you ask what there is to see?

Welche Sehenswürdigkeiten   gibt es hier?
                             können Sie mir/uns empfehlen?

Was gibt es hier zu sehen?

Was gibt es noch zu sehen?

How do you ask about opening times?

Wann ist   der Zoo   geöffnet?
           die Buchhandlung
           das Museum

Wann öffnet das Museum?

Wann schließt das Museum?

Wie sind die Öffnungszeiten am Wochenende?

Note how opening times are described using *von* and *bis*.

Das Museum ist dienstags **bis** donnerstags **von** 10 Uhr **bis** 13 Uhr geöffnet.

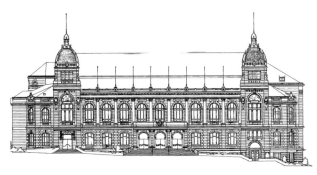

Tagen und Feiern auf dem Johannisberg bedeutet historisches Ambiente und zukunftsweisende Technik im Zentrum einer urbanen und lebendigen Großstadt in Nordrhein-Westfalen. Musik, Shows, Varietés, Kongresse, Messen und Ausstellungen sind auf dem Johannisberg gut aufgehoben.

13 Read the story and complete the summary below using words from the box.

Bitte lesen Sie und schreiben Sie.

• •

„Karin, wo ist Heike?", fragt Thomas. „Auf dem Weg zur Schwebebahnstation. Sie möchte Wuppertal kennenlernen", sagt Karin. Thomas beeilt sich und ist zuerst an der Schwebebahnstation, weil Heike noch einen Stadtplan kauft. „Hallo Heike!" „Hallo Thomas! … Was machst du denn hier?", fragt Heike. „Ich möchte dir Wuppertal zeigen! Viel gibt's natürlich nicht zu sehen …" „Also, zuerst möchte ich eine Fahrt mit der Schwebebahn machen", sagt Heike. „Die ganze Strecke?" fragt Thomas überrascht. „Warum nicht?", fragt Heike. „Und dann möchte ich gerne in die Fußgängerzone gehen, da gibt es eine neue Ladengalerie … da war ich gestern auch schon." „Kennst du das Von der Heydt-Museum?" möchte Thomas wissen. „Nein, was gibt es dort zu sehen?" „Das ist ein Museum für moderne Kunst. Und dann gibt es noch den Zoo." „Den Zoo … ich weiß nicht, ich muß um fünf Uhr zurück sein." „Warum schon so früh?" fragt Thomas. „Felix ruft heute abend an." „Ach so. Ich verstehe …"

• •

die ganze Strecke the whole way

Schwebebahn   Zoo   Stadt   Fußgängerzone   Museum

Heike geht zur Schwebebahnstation, aber Thomas ist schneller. Er will Heike die . . . . . . zeigen. Heike möchte zuerst . . . . . . fahren und dann in die . . . . . . gehen. Das Von der Heydt-Museum kennt sie noch nicht. Thomas möchte mit Heike ins . . . . . . und in den . . . . . . gehen, aber Heike muß um 17 Uhr wieder zurück sein, weil Felix heute abend anruft.

Using *kennen* and *wissen*

Both *wissen* and *kennen* may be translated as 'to know'. *Wissen* is to know a fact. *Kennen* means to know or to be acquainted with something or someone, because you've seen them before.

Wann ist das Museum geöffnet? **Wissen** Sie das?

Kennst du das Von der Heydt-Museum?

---

14 Complete the sentences with the correct form of *wissen* or *kennen*.

Bitte schreiben Sie.

1 Wann kommt der Elektriker? Ich . . . . . . nicht.

2 Wer ist der Mann an Tisch 3? Ich . . . . . . nicht. Ich . . . . . . ihn nicht.

3 Was . . . . . . Sie über Heinrich Schliemann?

4 . . . . . . Sie meinen Bruder?

5 . . . . . . du den Wuppertaler Zoo? Der ist ganz toll.

15 Here is an article about an 'old lady' who needs a 'face-lift'. Read the article through quickly before going on to study it in more detail. First, find the answers to these three questions.

Bitte lesen Sie und beantworten Sie die Fragen.

1 Who is the old lady of the title ?

2 How old is she?

3 How much is the face-lift going to cost and who will pay for it?

quietschen to creak or squeak

Facelifting für eine alte Dame

Den 90. Geburtstag hat sie noch im alten Kleid gefeiert. Den 100. Geburtstag soll die alte Dame im Stil des 21. Jahrhunderts feiern. Die Wuppertaler Schwebebahn, die seit 1899 existiert und seit 1901 öffentliches Verkehrsmittel ist, muß renoviert werden. Das Hauptproblem: sie quietscht zu laut. Die Stadt Wuppertal, das Land Nordrhein-Westfalen und der Bund spendieren ihr ein Facelifting für 400 Millionen Mark. Die Schwebebahn ist nicht nur ein Symbol der Stadt und ein wichtiges Denkmal, sondern auch das sicherste Verkehrsmittel der Welt. Video-Kameras kontrollieren das Ein- und Aussteigen von täglich 60 000 Fahrgästen. Die Fahrt von Endstation zu Endstation dauert fast 35 Minuten. Die Strecke ist insgesamt 13,3 Kilometer lang und hat 19 Bahnhöfe. Alle hoffen, daß sie noch weitere 100 Jahre lebt.

Adapted from *Hannoversche Allgemeine Zeitung*, January 1993

16 Now read the article again and pick out some more facts about the *Schwebebahn*. Add five more facts to the diagram below.

Bitte lesen Sie und schreiben Sie.

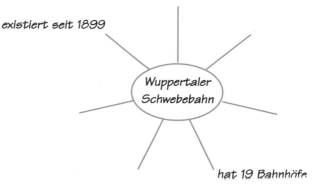

existiert seit 1899

Wuppertaler Schwebebahn

hat 19 Bahnhöfe

Nachmittag

Heike and Thomas are off to explore Wuppertal by *Schwebebahn*. On their return they swap information about their hobbies and make plans for next week.

Key points

- buying travel tickets
- talking about leisure activities
- using prepositions followed by the accusative or the dative case
- writing a postcard
- writing a formal letter

Also …
zwei Einzelfahrkarten
Zone A. Mist, der Automat
funktioniert nicht!

Da
drüben ist eine
Verkaufsstelle. Da können
wir Fahrkarten kaufen.

6 | **17**

Listen to Thomas and Heike talking to the clerk at the *Verkaufsstelle*, the ticket office. Below is a list of some of the things they said, but the sentences are in the wrong order. Listen and number the sentences to make the correct sequence clear.

Bitte hören Sie und schreiben Sie.

Nr.	
	Ist das dann viel teurer?
1	Entschuldigung, der Automat funktioniert nicht.
	Bis zu 5 Personen können im Stadtgebiet Wuppertal Schwebebahn, Bus und Zug fahren.
	Wir möchten gern mit der Schwebebahn fahren – bis zur Endstation.
	Also, zwei Einzelfahrscheine.
	Wir nehmen die Tageskarte.
	Es gibt ein Kombi-Ticket für DM 10,– für den Zoo und die Schwebebahn.
	Ich empfehle Ihnen eine Tageskarte.
	Ist die Fahrkarte auch für den Bus gültig?

18

Now correct the statements below in English.

Bitte korrigieren Sie.

1 The clerk wants to sell Heike and Thomas two return tickets at first.

2 Thomas wants to know whether the ticket is also valid for the railway.

3 The clerk recommends a weekly travel card.

4 He says that with the one-day travel card, up to five people can use the *Schwebebahn*, buses and railway in Wuppertal and beyond.

5 The one-day travel card costs DM 2,90.

6 There is also a combined ticket for the zoo and the *Schwebebahn* which costs DM 12,–.

7 Heike and Thomas eventually buy two one-day travel cards.

Buying a ticket

How do you ask for a ticket?

Ich möchte gerne zum Hauptbahnhof fahren.
Einmal (zweimal, dreimal) zum Hauptbahnhof, bitte.
Einmal nach Elberfeld, bitte.
Nach Elberfeld hin- und zurück.

Note that when buying a ticket and also when ordering food, people often use *einmal*, *zweimal*, *dreimal*, which literally means 'once', 'twice' and 'three times'.

Dreimal nach Köln, bitte.
Zweimal den Schweinebraten, bitte.

What are your options?

Ich hätte gerne   eine Einzelfahrkarte.
                               eine Rückfahrkarte.
                               eine Tageskarte.
                               eine Wochenkarte.
                               eine Minigruppen-Karte.

 7   **19**   In this activity you will practise buying a ticket. You are about to board a bus. Listen to the English prompts and speak in German in the pauses.

Bitte sprechen Sie.

20   On their return, Thomas and Heike find that the café is very busy. Read the story and match up the questions and answers below.

Bitte lesen Sie und ordnen Sie zu.

• •

Freitags ist immer viel Betrieb im Café Einklang, und Heike hilft gerne. „Das ist mal was anderes als Musik machen", sagt sie. „Sie machen Musik?" fragt Herr Timmann, ein Stammgast. „Ja, ich spiele Geige in der Semper-Oper", antwortet Heike. „Ich liebe die Oper", sagt Herr Timmann, „die Musik ist mein größtes Hobby." In der Küche fragt Thomas, was Heike gerne macht, wenn sie gerade nicht Geige spielt. „Ich gehe gern essen, und ich gehe gern ins Theater." „In Wuppertal gibt es das Tanztheater …", sagt Thomas, „vielleicht können wir für nächste Woche Karten bekommen." Diese Idee gefällt Heike, „Oh ja, toll … Du gehst also auch gern ins Theater?" „Hm, hmm …", antwortet Thomas. „Und hast du noch andere Hobbys, Thomas?" „Ja, ich gehe gern ins Kino und in den

Fitness-Klub, und ich fahre gerne Rad." „Felix und ich, wir fahren auch gerne Rad. Wir machen jeden Sommer eine große Radtour …"„Heike!", ruft Karin. „Ja, wo bist du?" „Im Büro, Telefon für dich …"

• •

I	Wo arbeitet Heike?	**a**	Sie ist im Büro.
2	Was macht Herr Timmann gerne?	**b**	Er geht in den Fitness-Klub.
3	Was wollen Thomas und Heike nächste Woche machen?	**c**	Sie arbeitet in der Semper-Oper.
4	Was macht Thomas, um fit zu bleiben?	**d**	Er geht gerne in die Oper.
5	Wo ist Karin?	**e**	Sie wollen ins Theater gehen.

Using *in* with the accusative or the dative case

How do you say where you are going?

You have already learnt about using *in* plus the accusative to say where you are going (in *Mittwoch abend* page 97).

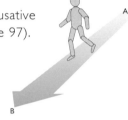

m	**der** Fitness-Klub	Ich gehe **in den** Fitness-Klub.	*I'm going **to** the fitness club.*
f	**die** Oper	Ich gehe **in die** Oper.	*I'm going **to** the opera.*
n	**das** Büro	Ich fahre **ins** Büro. (ins = in das)	*I'm going **to** the office.*
pl	**die** USA	Ich fliege **in die** USA.	*I'm going **to** the United States.*

How do you describe where you are?

If you want to describe where you are rather than where you are heading for, you can use *in* plus the dative.

m	der Fitness-Klub	Ich bin **im** Fitness-Club. (im = in dem)	*I'm at the fitness club.*
f	die Oper	Ich arbeite **in der** Oper.	*I work at the opera.*
n	das Büro	Ich bin **im** Büro.	*I'm in the office.*
pl	die USA	Ich wohne **in den** USA.	*I live in the United States.*

21 Now check whether you have understood when you should use the dative and when you should use the accusative. Read the sentences below and decide in each case whether they describe where you are (dative) or where you are going (accusative).

Bitte kreuzen Sie an.

		Dative	Accusative
1	Irfan und Karin arbeiten im Café Einklang.	☒	☐
2	Heike und Thomas gehen am Wochenende zusammen ins Tanztheater.	☐	☐
3	Irfan geht in die Küche.	☐	☐
4	Karin und die Kinder gehen in die Stadt einkaufen.	☐	☐
5	Thomas hilft Irfan in der Küche.	☐	☐
6	Heike geht gerne in die Disco.	☐	☐
7	Heike arbeitet in der Semper-Oper.	☐	☐
8	Die Kinder möchten in den Park gehen.	☐	☐

22 Now read the questions below and put a cross in the appropriate box. There is only one correct answer to each question.

Bitte kreuzen Sie an.

1 Was machen wir heute abend?

    a Wir sind im Kino. ☐

    b Wir gehen in die Kneipe und treffen Klaus und Babsi. ☐

    c Wir können morgen abend ins Schwimmbad gehen. ☐

2 Wo ist Herr Söderbaum?

    a Er arbeitet noch im Büro. ☐

    b Herr Söderbaum fährt morgen nicht aufs Land. ☐

    c Ich weiß nicht, wann er heute ins Büro kommt. ☐

3 Wohin geht Herr Timmann?

    a Er kommt aus Österreich. ☐

    b Er geht ins Café Einklang. ☐

    c Er sitzt in der Schwebebahn. ☐

4 Wollen wir am Wochenende ins Kino gehen?

   a Tut mir leid, ich möchte lieber ins Kino gehen. ❑

   b Am Wochenende arbeiten wir nicht im Café. ❑

   c Ich gehe lieber ins Restaurant. ❑

5 Sind Sie oft hier im Fitness-Klub?

   a Nein, ich gehe gerne ins Sportzentrum. ❑

   b Ja, ich bin heute im Fitness-Klub. ❑

   c Nein, ich komme nicht oft in den Fitness-Klub. ❑

23 Here is a postcard which Heike has written to her parents. Read it, then put the jumbled activities (below) in order.

Bitte lesen Sie und ordnen Sie.

1 frühstücken

2 einkaufen gehen

3 in der Küche helfen

4 aufstehen

Writing a postcard or an informal letter

How do you start a postcard or a letter?

Wuppertal, den 2.11.19..

Lieb**e** Martina,   (if the person is female)

Lieb**er** Hans,   (if the person is male)

Lieb**e** Eltern,   (if there is more than one person)

Note that you use a small letter to continue the sentence following the greeting.

es ist herrlich hier … .

How do you end a postcard or a letter?

Herzliche Grüße

Viele Grüße

Alles Gute

24 Now it's your turn to write a postcard similar to the one above.

Bitte schreiben Sie.

. . . . . . , den 3.11.19 . . . . . .

Liebe(r) . . . . . . ,

es ist sehr schön hier in . . . .

Ich stehe . . . . . . auf.

Dann . . . . . .

Danach . . . . . .

Man kann hier . . . . . .

Heute . . . . . .

Morgen . . . . . .

. . . . . . eine tolle Sehenswürdigkeit.

Abends . . . . . .

Alles Gute,

25 Now find out what a formal German letter looks like. Read these two business letters which Karin is just filing in the office and answer the questions below.

Bitte lesen Sie und beantworten Sie die Fragen.

Café Einklang   Karin und Irfan Meyer-Sert   Mozartstraße 31   42113   Wuppertal
Tel: (0202) 38 44 51   Fax: (0202) 38 44 65

Firma
Naumann Dekor GmbH
Postfach 87
63702 Aschaffenburg

Wuppertal, 14.9.1996

Sehr geehrte Damen und Herren,

bitte senden Sie uns Ihren Katalog mit Preisliste für Tischdekoration.
Wir interessieren uns insbesondere für Kerzenständer in verschiedenen
Farben und Ausführungen.

Mit freundlichen Grüßen,

Karin Meyer-Sert   *Irfan Sert*

Karin Meyer-Sert   Irfan Sert

Naumann Dekor GmbH
Postfach 87
63702 Aschaffenburg

18.9.1996

Sehr geehrte Frau Meyer-Sert, sehr geehrter Herr Sert,

besten Dank für Ihr Schreiben vom 14.9. Anbei senden wir Ihnen
unseren aktuellen Gesamtkatalog mit Preisliste. Bitte beachten Sie vor
allem auch unsere Sonderangebote zur Weihnachtszeit auf den Seiten 4
und 5. Ihrer Bestellung sehen wir gerne entgegen.

Mit freundlichen Grüßen,

K. Brückner

K. Brückner

Anlagen: Gesamtkatalog
                Preisliste

---

der Kerzenständer (-)
candle holder

*in verschiedenen Farben
und Ausführungen*
in various colours and
designs

1 Why is Karin writing to Naumann Dekor GmbH?

2 What do they send her?

3 What special offer do they draw her attention to?

4 How would you say the following phrases in a formal letter?

   a Dear Sir/Madam,

   b Dear Mrs ...

   c Dear Mr ...

   d Yours sincerely, or Yours faithfully

   e Thank you for your letter of ...

   f Enclosed please find ...

   g enclosures

If you listen to *Thema 6* on your independent listening cassette you will hear people say what they consider the most interesting sights in Wuppertal to be. There will also be an interview with a *Schwebebahn* employee who talks about the *Schwebebahn* and, in particular, an accident involving an elephant.

Checkliste

Now you can

- use adjectives and make comparisons (*Vormittag* page 129–30)
- give reasons using *weil* (*Vormittag* page 132)
- ask for and give directions (*Mittag* page 134–5)
- make enquiries (*Mittag* page 138)
- buy travel tickets (*Nachmittag* page 143)
- use the accusative or the dative in expressions of motion or rest (*Nachmittag* page 144)
- write a postcard or letter (*Nachmittag* page 146–7)
- understand business correspondence (*Nachmittag* page 148–9)

Testaufgaben

A The word order in the second part of these sentences is not correct. Unjumble them and write out the whole sentence correctly.

1	Herr Lehmann geht zum Arzt, weil	krank er ist.
2	Karin arbeitet heute nicht, weil	muß mit den Kindern zum Zahnarzt sie gehen.
3	Irfan kauft viel Wein, weil	er bekommt Rabatt einen.
4	Thomas lernt Türkisch, weil	möchte er fahren nach Istanbul.
5	Heike lebt auf dem Land, weil	sie Stadtmensch kein ist.

B Fill in the gaps in the sentences below with *in den, in die, ins* or *im, in der* as appropriate.

1   Ich möchte . . . . . . Bett frühstücken.

2   Wann gehen wir . . . . . . Supermarkt?

Viertel nach zwei
quarter past two

3   Um Viertel nach zwei komme ich . . . . . . Büro.

4   Er wohnt . . . . . . Stadt.

5   Im Sommer fahren Irfan und Karin . . . . . . Türkei.

6   . . . . . . Küche sind die Getränke und der Salat.

C Choose the phrase which has the same meaning.

1   Ist die Tageskarte auch für den Bus gültig?
   a   Kann man mit der Tageskarte auch Bus fahren?   ☐
   b   Kann man die Tageskarte auch im Bus kaufen?   ☐
   c   Gibt es eine Tageskarte für den Bus?   ☐

2   Was ist billiger – zwei Rückfahrkarten oder eine Tageskarte?
   a   Ist eine Tageskarte teurer als zwei Rückfahrkarten?   ☐
   b   Sind zwei Rückfahrkarten besser als eine Tageskarte?   ☐
   c   Ist die Tageskarte billig?   ☐

3   Der Riesling ist trockener als der Müller-Thurgau.
   a   Der Müller-Thurgau ist aromatischer als der Riesling.   ☐
   b   Der Riesling ist extrem trocken.   ☐
   c   Der Müller-Thurgau ist lieblicher als der Riesling.   ☐

4   In der Türkei ist das Wetter besser als in Deutschland.
   a   In Deutschland ist das Wetter schlecht.   ☐
   b   In der Türkei ist es trockener als in Deutschland.   ☐
   c   In Deutschland ist das Wetter schlechter als in der Türkei.   ☐

Samstag

. . . . . Vormittag

Not a very promising start to the day for Irfan: the computer breaks down
completely and a fax arrives with some rather alarming news …

Key points

- talking about the past
- understanding and writing business messages

Warst du wieder im PC-Markt? Was ist in dem Karton?

Ich habe ein neues Faxgerät gekauft.

Listen to the full conversation between Karin and Irfan on the audio activities cassette. Seven of the ten statements below describe what Irfan has been doing, the others are wrong. Mark the appropriate boxes with a cross and correct the false statements.

Bitte hören Sie und kreuzen Sie an.

		richtig	falsch
1	Er war auf der Bank.	❏	❏
2	Er hat die Rechnungen bezahlt.	❏	❏
3	Er hat im Supermarkt eingekauft.	❏	❏
4	Er ist zum PC-Markt gefahren.	❏	❏
5	Er hat ein billiges Faxgerät gesehen.	❏	❏
6	Er hat das Faxgerät gekauft.	❏	❏
7	Er hat das alte Faxgerät repariert.	❏	❏
8	Er hat die Verbraucherzeitschrift gelesen.	❏	❏
9	Er hat Faxpapier und Disketten mitgebracht.	❏	❏
10	Er hat mit der Brauerei telefoniert.	❏	❏

die Verbraucherzeitschrift consumer magazine

die Brauerei brewery (note that this is *mit der* Brauerei because *mit* takes the dative)

Talking about the past

To talk about something you have done or did in the past, you usually use the perfect tense. *Ich habe gekauft* can mean both 'I have bought' or 'I bought' and can refer to something you did earlier today, or yesterday, or at any other time in the past.

To form the perfect tense you use an auxiliary verb (*haben* and sometimes *sein* – see below) plus the past participle form of the verb.

Here are some examples of regular verbs in the perfect tense.

kaufen	ich habe **ge**kauf**t**
machen	ich habe **ge**mach**t**
putzen	ich habe **ge**putz**t**

In simple sentences the past participle goes to the end.

Ich **habe** ein Faxgerät im PC-Markt **gekauft**.

Ich **habe** heute morgen nichts **gemacht**.

Ich **habe** gestern das Bad **geputzt**.

You will have noticed from the dialogue between Irfan and Karin in Activity I that not all past participles are formed in this way.

What happens with verbs which end in *-ieren*?

If the verb ends in *-ieren*, *ge-* is not added at the beginning of the past participle.

reparieren	ich habe reparie**rt**
telefonieren	ich habe telefonie**rt**

Which verbs have irregular past participles?

Some participles are irregular. You will only need a few to complete the activities in *Café Einklang*. You will have to learn them with the verb as you meet them.

lesen	ich habe **ge**les**en**
sehen	ich habe **ge**seh**en**
bringen	ich habe **ge**brach**t**

Which verbs form the perfect tense with *sein*?

Some verbs form the perfect tense with *sein* rather than *haben*. These are mainly verbs involving movement.

fahren	ich **bin ge**fahr**en**
gehen	ich **bin ge**gang**en**
kommen	ich **bin ge**komm**en**

What happens with verbs with inseparable or separable prefixes?

If the verb has an inseparable prefix such as *be-* or *ver-*, *ge-* is **not** added to the past participle.

bezahlen	ich habe bezahl**t**
verkaufen	ich habe verkauf**t**

If the verb begins with a separable prefix such as *ab*, *an*, *auf*, *ein*, *mit*, *weg* (see *Dienstag vormittag* page 56), *ge-* is included in the past participle after the prefix.

einkaufen	ich habe ein**ge**kauf**t**
abholen	ich habe ab**ge**hol**t**
mitbringen	ich habe mit**ge**brach**t**

2 Now use the information about the perfect tense above to complete the activity below. Irfan sometimes suspects Thomas of not working quite hard enough, but this morning Thomas has been really busy. Here is a list of what he's been doing. Write out what he would say using the perfect tense.

Bitte schreiben Sie.

1	die Tische abräumen	*Ich habe die Tische abgeräumt.*
2	die Küchenuhr reparieren	
3	die Gläser spülen	
4	David in den Sportclub bringen	
5	auf den Markt fahren und Gemüse einkaufen	
6	einen Artikel über vegetarisches Essen lesen	
7	auf die Post gehen und Briefmarken kaufen	
8	mit Heike frühstücken	

die Küchenuhr
kitchen clock

 3

Your boss at the office seems to think she has to remind you to do your job properly. Defend yourself by telling her that you did all the things she mentions yesterday. You will hear a prompt on your cassette. Speak in the pause provided.

Bitte sprechen Sie.

Sie hören: Sie müssen die Kaffeemaschine reparieren.

Sie sagen: Ich habe die Kaffeemaschine gestern repariert.

4

Now read the story to find out how Irfan gets on with his computer and his new fax machine. Then complete the summary below using past participles from the box.

• •

Irfan hat nicht nur ein neues Faxgerät gekauft. Er hat auch drei Rollen Faxpapier und 10 Computerdisketten vom PC-Markt mitgebracht. „Hast du das Faxgerät schon installiert?" fragt Karin. „Ja, das ist ja ganz einfach – kein Problem. Aber der Computer, ich verstehe das nicht … Das gibt's doch nicht! Ich kann nicht in mein Computersystem!" Der PC-Markt hat samstags bis 13 Uhr geöffnet. Irfan ruft sofort an. „Wann können Sie kommen? Geht es nicht heute? So um die Mittagszeit. Gut, Wiederhören." … ratatatat … „Was ist das für ein Geräusch?" fragt Karin. „Das ist das neue Faxgerät. Wir bekommen ein Fax – wenigstens das funktioniert …"

das Geräusch noise

• •

---

gekommen   zurückgekommen   gekauft   funktioniert   installiert   angerufen

---

Irfan hat ein Faxgerät, drei Rollen Faxpapier und 10 Computerdisketten im PC-Markt . . . . Er ist gegen 10 Uhr ins Café . . . . . . und hat das Faxgerät . . . . Das war kein Problem. Aber der Computer hat schon wieder nicht . . . . Irfan hat sofort im PC-Markt . . . . Dann ist ein Fax . . . . . .

5 Read the first fax which has come through on the new fax machine and decide whether the statements below are true or false.

Bitte lesen Sie und kreuzen Sie an.

FAXMITTEILUNG

An: Zooverwaltung
z.H. Herrn Sergmann
Hubertusallee 30
42117 Wuppertal

Von: Susanne Kaiser-Altmann
Zirkus Kaiser
Dorfplatz 45
44763 Münster

Datum: 28. September 1997   Seiten: 1

Vielen Dank für Ihr Schreiben vom 15.9. d.J. Wie vereinbart, wird Elefant Tuffi V am Montag gegen 16 Uhr bei Ihnen eintreffen. Bitte arrangieren Sie den Zugang für unser Transportfahrzeug direkt zum neuen Elefantenhaus und stellen Sie ausreichend Personal (mindestens vier Mitarbeiter) bereit. Die Bezahlung sollte innerhalb vier Wochen erfolgen.

S. Kaiser - Altmann

Susanne Kaiser-Altmann

---

		richtig	falsch
1	An important customer is going to arrive at Café Einklang on Monday at 4 pm.	❑	❑
2	The fax has been misdirected.	❑	❑
3	A circus is about to sell an elephant to the zoo.	❑	❑
4	The transport vehicle should be met at the zoo entrance.	❑	❑
5	At least four members of staff will be needed to deal with the new arrival.	❑	❑
6	Payment will have to be made within 4 days.	❑	❑

6 Now unjumble this telephone conversation between Irfan and the *Zirkus Kaiser*.

Bitte ordnen Sie.

Irfan Hier ist Sert vom Café Einklang in der Mozartstraße in Wuppertal. Ich rufe an, weil wir ein Fax von Ihnen bekommen haben – aber das ist an den Zoo adressiert. Es geht um einen Elefanten.

Frau K.-A. Ja, also vielen Dank für Ihren Anruf! Auf Wiederhören.

Irfan Auf Wiederhören.

Frau K.-A. Ja ... ich habe vor 5 Minuten ein Fax gesendet – einen Moment – ich habe es hier.

Irfan Mein Name ist Sert. Ich möchte Frau Kaiser-Altmann sprechen, bitte.

Frau K.-A. Kaiser-Altmann.

wählen to dial

Irfan Ich glaube, Sie haben die falsche Faxnummer gewählt.

Rezeptionistin Einen Moment, ich verbinde.

Frau K.-A. Oh ja, das tut mir leid. Also, da möchte ich mich entschuldigen.

das macht nichts
it doesn't matter

Irfan Das macht nichts. Ich war nur ein bißchen überrascht.

Rezeptionistin Zirkus Kaiser, guten Morgen.

7 The second fax that comes through on the new fax machine is from the brewery whom Karin had meant to ring this morning to complain about a delay (*Verzögerung*) in the delivery. Choose words from the box below to complete the letter they faxed. You won't need all the words.

Bitte schreiben Sie.

> herzlichen   freundlichen   vielen   geehrte   geehrter
> nächste Woche   entschuldigen   Rabatt   Bestellung

Sehr . . . . . . Frau Meyer-Sert,

. . . . . . Dank für Ihre Bestellung auf 300 l Gambrinius Bier vom 26.7. Die Lieferung wird . . . . bei Ihnen eintreffen. Wir möchten uns für die Verzögerung . . . . . . und können Ihnen einen . . . . . . von 3% anbieten.

Mit . . . . . . Grüßen,
Brauerei Kitzinger

Now read about a famous personality who was born in Wuppertal, the writer Else-Lasker Schüler. As you read about her life, make notes in English under the headings below.

Bitte lesen Sie und schreiben Sie.

1   Four places she lived in

2   The professions of her father and her two husbands

3   Elements present in her writing

4   Her personality

5   Her financial situation when she died

---

schreiben (hat geschrieben) to write (wrote, has written)

der Maler painter (m)

der Künstler artist (m)

der Traum dream

jüdisch Jewish

Else Lasker-Schüler ist am 11.2.1869 als Tochter des Bankiers Aaron Schüler in Wuppertal-Elberfeld geboren. Sie hat Lyrik, Prosa-Werke und Dramen geschrieben. Else-Lasker Schüler war zweimal verheiratet, von 1894 bis 1899 mit dem Arzt Jonathan Lasker und von 1901 bis 1911 mit dem Maler Herwarth Walden. Sie hat lange Zeit im Künstlermilieu in Berlin gelebt, wo sie Kontakt zu vielen bekannten Malern hatte, vor allem Impressionisten. Drakel, Benn und Marck waren in ihrem Bekanntenkreis. Ihre Werke verbinden altjüdische Tradition mit dunklem Expressionismus, Realität und Traum, Mythisches, Alttestamentarisches, Orientalisches und moderne Problematik. Sie selbst war eine Persönlichkeit voller Phantasie. Sie hat jüdische Religiosität mit einer Liebe zur deutschen Kultur und Landschaft verbunden. In ihren frühen Werken spielt auch Wuppertal eine Rolle, zum Beispiel im Drama „Die Wupper" (1909). 1933 ist sie nach Zürich gegangen und 1937 nach Jerusalem emigriert. Else Lasker-Schüler ist 1945 in Jerusalem sehr arm gestorben.

„Die größte Lyrikerin, die Deutschland je hatte."
(Georg Benn über Else Lasker-Schüler)

„Ich bin verliebt in diese Stadt."
(Else Lasker-Schüler über Wuppertal)

Now write a life history for Else Lasker-Schüler. Make sentences using information from her biography, the dates given below and phrases from the box of events in her life. Remember that if you start a sentence with an expression of time, you have to change the word order. The first sentence has been done for you.

Bitte schreiben Sie.

zum ersten Mal
for the first time

> ~~Sie hat zum ersten Mal geheiratet.~~
> Sie hat in Berlin gelebt und viele Künstler kennengelernt.
> Sie hat das Drama „Die Wupper" geschrieben.
> Sie hat zum zweiten Mal geheiratet.
> Sie ist nach Zürich gegangen.
> Sie ist nach Jerusalem emigriert.
> Sie hat sich von ihrem zweiten Mann getrennt.
> Sie ist sehr arm gestorben.

Else Lasker-Schüler hat von 1869 bis 1945 gelebt.

1894   *1894 hat sie zum ersten Mal geheiratet.*

1901   _____

1909   _____

1911   _____

vor 1933   _____

1933   _____

1937   _____

1945   _____

Nachmittag

Karin plans a family get together with her mother, and Irfan finds out what's been wrong with the computer all along …

Key points

- talking about the future
- accepting and declining invitations
- using *war* and *hatte*

Kommt ihr heute abend ins Café? Frau Möbius wird babysitten.

Ja gern. Sollen wir etwas mitbringen?

10 What do you think these people will be doing tonight? Match the people on the left to the activities on the right.

Bitte ordnen Sie zu.

1	Karins Eltern	a	werden im Café sein.
2	Frau Möbius	b	werden schlafen (?)
3	David und Miriam	c	werden ins Café kommen.
4	Karin und Irfan	d	wird babysitten.

Talking about the future

In German you don't necessarily need to use the future tense to talk about something that is going to happen. The present tense is often used, especially with expressions of time, which indicate clearly that you are talking about the future.

Morgen gehen wir auf den Flohmarkt.	*We are going to the flea market tomorrow.*
Im Sommer fahren wir in die Türkei.	*In the summer we'll be going to Turkey.*
Heike fährt am Mittwoch nach Dresden zurück.	*Heike will be going back to Dresden on Wednesday.*

You can also use *wollen/möchten* to say that you intend to do something.

Morgen wollen wir auf den Flohmarkt gehen.	*We want to go to the flea market tomorrow.*
Im Sommer möchten wir in die Türkei fahren.	*In the summer we would like to go to Turkey.*
Heike will am Mittwoch nach Dresden zurückfahren.	*Heike wants to go back to Dresden on Wednesday.*

Note that in German *will* means 'want'. German does, however, have a verb which is used to describe future events, much like the English 'will'. This is *werden*. It is used with the infinitive of the verb to express the future. On its own the verb *werden* means 'to become'.

Ich werde morgen nicht ins Café Einklang kommen.	*I won't be coming to Café Einklang tomorrow.*
Frau Möbius wird babysitten.	*Frau Möbius will be babysitting.*

werden (will [do something])

ich werde
du wirst
er, sie, es wird
wir werden
ihr werdet
Sie werden
sie werden

To practise using *werden*, try to imagine the future of some of the people you met at Café Einklang. What might they be doing in five years' time? Match the people in the right-hand column with the activities on the left.

Bitte ordnen Sie zu.

1	Thomas	**a**	wird in die Schule gehen.
2	Heike	**b**	werden weiter im Café Einklang arbeiten.
3	Miriam	**c**	wird sehr gut Französisch sprechen.
4	Irfan	**d**	wird Abteilungsleiter bei der Firma Futura Elektronik GmbH sein.
5	Karin und Irfan	**e**	wird eine berühmte Musikerin sein.
6	Herr Söderbaum	**f**	wird einen neuen Computer kaufen.
7	Wolfgang	**g**	wird als Arzt in einem Krankenhaus arbeiten.

12 Read the story to find out what is going to be celebrated tonight and what turned out to be wrong with the computer, then answer the questions below in German.

Bitte lesen Sie und beantworten Sie die Fragen.

• •

abnehmen to lose weight

denken an to think of

Nach dem Mittagessen sitzen Karin und Wolfgang in der Küche. Sie trinken Kaffee und essen Kuchen. „Möchten Sie noch ein Stück Kuchen?" fragt Karin. „Nein danke, ich will abnehmen, ich bin zu dick." – „Heute nach der Arbeit möchten wir Sie gerne zu einem Glas Sekt einladen. Mein Mann hat morgen Geburtstag." Aber Irfan denkt im Moment nicht an seinen Geburtstag. Er ist im Büro mit Herrn Diestel von der Computerfirma. „Wir haben zwei falsche e-mails bekommen, und heute morgen hat gar nichts funktioniert … Ich glaube, wir haben einen Virus im System." „Nein, Herr Sert, das glaube ich nicht. Die zwei falschen e-mails … das war kein Virus, das war ein Hacker. Sie haben einen Hacker in Ihrem System." „Einen Hacker?" „Ja, das muß eine Person sein, die Ihr Kodewort kennt." „Also, mein Kodewort ist MIMI, so heißt unsere Katze …"

• •

1 Was feiern die Meyer-Serts heute abend?

verursachen to cause

2 Wer hat die Probleme mit dem Computer verursacht?

13 Now answer the more detailed questions below in German using *weil*.

Bitte beantworten Sie die Fragen.

1 Warum möchte Wolfgang kein Stück Kuchen mehr?

Weil …

2 Warum möchte Karin Wolfgang zu einem Glas Sekt einladen?

3 Warum denkt Irfan nicht an seinen Geburtstag?

4 Warum hat Irfan zwei falsche e-mails bekommen?

5 Warum ist sein Kodewort MIMI?

3 **14** Now imagine that it's your turn to be invited to various events. Below are the invitations you receive, together with prompts in English as to how you should answer. Prepare your answers in writing beforehand, then listen to the invitations on the cassette and reply in the pauses.

Bitte schreiben Sie und sprechen Sie.

1 Ich möchte Sie gerne zu einem Stück Kuchen einladen.
(No thanks, I want to lose weight.)

2 Unsere Abteilung macht morgen eine kleine Betriebsfeier. Können Sie kommen?
(Yes, I'd like to. Shall I bring anything?)

3 Wir feiern morgen um 10 Uhr unser 50. Firmenjubiläum im Café Einklang. Sie sind herzlich eingeladen.
(I'm sorry, but I have an appointment.)

4 Möchtest du im Sommer mit uns nach Frankreich fahren?
(No, I don't like going to France, because I don't speak French.)

5 Letztes Jahr waren Sie nicht auf der Weihnachtsfeier. Ich hoffe, Sie können dieses Jahr kommen.
(Yes, this year I can come. My parents will babysit.)

war (from **sein** – was/were)

ich war
du warst
er, sie, es war
wir waren
ihr wart
Sie waren
sie waren

hatte (from **haben** – had)

ich hatte
du hattest
er, sie, es hatte
wir hatten
ihr hattet
Sie hatten
sie hatten

Using *war* und *hatte*

When Herr Diestel points out where the wrong e-mails came from, he says *Das war ein Hacker*.

If you want to use *sein* and *haben* in the past tense, you can use the perfect to say *ich bin gewesen* and *ich habe gehabt*. However, it is more common and easier to use the imperfect tense: *ich war* (I was) and *ich hatte* (I had). You have already met some examples of the imperfect forms of *sein* and *haben*.

> **Warst** du auch auf der Bank?
>
> Letztes Jahr **waren** Sie nicht auf der Weihnachtsfeier.
>
> Nein, ich **hatte** keine Zeit.

15 Fill in the gaps in these sentences with the appropriate form of *war* or *hatte*.

Bitte schreiben Sie.

1 Wo . . . . . . du? – Im PC-Markt.

2 Und warum . . . . . . du keine Zeit, mit dem Elektriker zu telefonieren?

3 Gestern . . . . . . Frau Bahr im Café Einklang.

4 Letztes Jahr . . . . . . wir nicht in der Türkei, aber nächsten Sommer möchten wir gerne dorthin fahren.

5 Die Meyers . . . . . . letzte Woche im Tanztheater, aber Irfan und Karin . . . . . . leider keine Zeit.

16

Now read this short biographical item about the head of regional government in Nordrhein-Westfalen. What is he at the moment? What was he earlier in his life? You may need to read the *Wissen Sie das?* section before completing the activity below.

Bitte lesen Sie und schreiben Sie.

die Buchhändler-Lehre
training as book seller

der Oberbürgermeister
Lord Mayor (m)

die Wahl election

der Ehrenbürger
honorary citizen (m)

Nordrhein-Westfalen: Ministerpräsident Johannes Rau

*16.1.1931 in Wuppertal-Barmen, Buchhändler-Lehre, SPD-Politiker, seit 1958 im Landtag, 1969/70 Oberbürgermeister von Wuppertal, 1970–78 Minister im Landtag, seit 1978 Ministerpräsident in Nordrhein-Westfalen. Kanzlerkandidat (1987) und Kandidat für das Amt des Bundespräsidenten (1994). Seit dem Verlust der absoluten Mehrheit im Mai 1995 führt Rau in Nordrhein-Westfalen eine rot-grüne Koalition. Die nächste Wahl ist im Jahr 2000. Johannes Rau ist Ehrenbürger der Stadt Wuppertal.

Now choose expressions from the box to complete the table below.

> Ministerpräsident von Nordrhein-Westfalen
> Oberbürgermeister von Wuppertal   Minister   SPD-Politiker
> Kanzlerkandidat   Buchhändler   ~~Ehrenbürger von Wuppertal~~

Johannes Rau ist	Johannes Rau war
Ehrenbürger von Wuppertal	

WISSEN SIE DAS?

Bundestag   the national parliament in Germany

Bundeskanzler   the head of government

Bundespräsident   the head of state, who has a largely representative role

Landtag   the regional parliament in each *Bundesland*

Ministerpräsident the head of the regional government

Because of the voting system (proportional representation) coalition governments are very common in Germany, both at national and at regional level. In 1996 the Federal Government was a coalition of the conservative party, CDU *(Christlich Demokratische Partei)*, and the liberals, F.D.P. *(Freie Demokratische Partei)*. The regional goverment in Nordrhein-Westfalen was a coalition of social democrats, SPD *(Sozialdemokratische Partei Deutschlands)*, and the green party *(Bündnis 90/die Grünen)*.

Abend

The identity of the mysterious hacker is revealed, much to everyone's relief. Harmony is restored at Café Einklang as the Meyer-Serts and their friends gather to celebrate Irfan's birthday.

Key Points

- using prepositions in expressions of time and place
- congratulating someone
- writing a summary

17 Which of the following statements are definitely correct? Mark the appropriate boxes with a cross.

Bitte kreuzen Sie an.

		richtig	falsch
1	Irfan hat ein Fax von Felix bekommen.	☐	☐
2	Irfan hat eine Geburtstagskarte vom Stammtisch bekommen.	☐	☐
3	Irfan hat einen Liebesbrief von Karin bekommen.	☐	☐
4	Irfan hat eine Geburtstagskarte auf Türkisch bekommen.	☐	☐
5	Irfan hat eine Geburtstagskarte von der Weinhandlung Feldschloß bekommen.	☐	☐
6	Irfan hat eine Geburtstagskarte von Frau Meyer bekommen.	☐	☐

18 Irfan came to Germany when he was a child. He has both German and Turkish friends in Wuppertal. Find out a little more about the background of Turkish immigrants in Germany by reading the article and the statistical details below and answering the questions which follow.

Bitte lesen Sie und beantworten Sie die Fragen.

Ausländer: Herkunft

Land	Anzahl
Türkei	1 918 000
Ex.-Jugosl.	930 000
Italien	563 000
Griechenl.	352 000
Polen	261 000
Österreich	186 000
Rumänien	163 000
Spanien	133 000
Niederlande	114 000
Großbrit.	112 000
USA	108 000
Portugal	106 000

Stand: 31.12.1993; Quelle: Statistisches Bundesamt

Zwischen Orient und Okzident

Seit Anfang der sechziger Jahre leben und arbeiten Türken in Deutschland. Die Arbeitsmigration begann 1961. Damals gab es einen Vertrag zwischen der Türkei und der Bundesrepublik Deutschland, das „Anwerbeabkommen". Die türkischen Arbeiter sollten aber nur einige Jahre in Deutschland bleiben – daher der Name „Gastarbeiter". Danach sollten die Türken wieder nach Hause zurückgehen. Viele Türken wollten aber bleiben und haben ihre Familien nach Deutschland geholt. Anfang der siebziger Jahre – zur Zeit der Energiekrise und Rezession – hat die Bundesregierung die Arbeitsmigration gestoppt. Trotzdem sind die Gastarbeiter geblieben und haben weiterhin ihre Familien nach Deutschland geholt. Heute lebt schon die dritte Generation von Türken in der Bundesrepublik. In vielen Städten haben sie ihr eigenes soziales Leben mit Sport- und Kulturvereinen, Moscheen und Cafés.

Adapted from *Hannoversche Allgemeine Zeitung*, 22 September 1995

der Vertrag agreement

das Anwerbeabkommen official agreement between Germany and Turkey to attract Turkish workers

der Anfang beginning

1 How many people of Turkish origin live in Germany?

2 When were they first asked to come?

3 When was this agreement stopped and why?

4 It was intended that the Turkish workers should only stay for a limited period, so they were not called 'immigrants'. What were they called instead?

5 Many workers came on their own at first. What happened to their families?

6 What is the situation today?

7 From which other countries besides Turkey did migrant workers come? Name three.

  19 As it is Irfan's birthday tomorrow, Karin and one of the regulars, Herr Timmann, are discussing celebrations. Listen to their conversation on your cassette and use the phrases from the box below to answer the questions.

Bitte hören Sie und schreiben Sie.

> am Dienstag   heute nacht   um 4 Uhr zum Kaffee   im Sommer
> am Nachmittag   nach Köln   an Weihnachten   aus Hamburg
> am zweiten Weihnachtsfeiertag   am 25. Dezember

1 Wann feiern die Meyer-Serts Irfans Geburtstag?

2 Wann ist Ruhetag?

3 Wann wollen Karin und Irfan mit den Kindern schwimmen gehen?

4 Wohin wollen sie vielleicht auch fahren?

5 Wann machen die Meyer-Serts Urlaub?

6 Wann werden sie auch ein paar Tage frei haben?

7 Wann machen sie eine kleine Feier für das Personal und die Stammgäste?

8 Um wieviel Uhr ist die Feier?

9 Wann kommt die Schwester von Herrn Timmann?

10 Woher kommt sie?

Using prepositions to talk about place and time

You have already met a number of prepositions used in connection with time and place such as *am, um* or *nach*. Here is a summary of them.

Prepositions which relate to time

um 4 Uhr	you use *um* with times
am Nachmittag	you use *am* with parts of the day
am 25. Dezember	you use *am* when you give a date (note: this is a dative – *der 25. Dezember, an* + dative → *an dem 25. Dezember* → *am 25. Dezember*)
an Weihnachten	you use *an* when you talk about a date which does not take an article
im Dezember **im** Sommer	you use *im* with months and seasons

---

> **Prepositions which relate to place**
>
> **nach** Köln   you use *nach* to say you are going to a country
> **nach** Italien   or a town
>
> **in die** Türkei   you use *in* + accusative to say you are going
> **in den** Wald   to a place if the place takes an article
>
> **aus** Hamburg   you use *aus* to say you are from a place
> **aus** der Türkei
>
> **zum** Hauptbahnhof   you can use *zu* + dative to say you are going
> **zu** uns nach Hause   to a place in town or to someone's home, and
> **zum** Kaffee   also if you want to say you're coming for
> **zum** Abendessen   coffee, for example, or for the evening meal

20 Now read the dialogue below between Irfan and Wolfgang and complete it using the appropriate prepositions from the lists above.

Bitte lesen Sie und schreiben Sie.

Irfan   Haben Sie schon Pläne für Silvester, Herr Klose?

Wolfgang   Ja, ... 31.12. habe ich ja den ganzen Tag frei! Letztes Jahr waren wir im Neandertal und sind dort im Wald spazierengegangen. Dort ist es immer sehr schön . . . . . . Winter. Aber dieses Jahr möchte meine Frau . . . . . . Düsseldorf fahren, die Geschäfte sind ja bis Mittag geöffnet. Abends gehen wir dann . . . . . . Freunden . . . . . . Abendessen. Und . . . . . . halb zwölf gehen wir alle zusammen . . . . . . den Park. Dort können wir das Feuerwerk . . . . . . Mitternacht sehr gut sehen. Danach gehen wir wieder zurück . . . . . . unseren Freunden, wir trinken Sekt und spielen Karten.

das Feuerwerk
fireworks

beschwipst tipsy

Irfan   Ah – und dann sind alle beschwipst?

Wolfgang   Ja, dann sind alle beschwipst.

Irfan   Und Neujahr, was machen Sie da?

Wolfgang   Da kommt unsere Tochter . . . . . . Solingen . . . . . . Mittagessen. Nach dem Essen fahren wir . . . . . . den Wald und gehen spazieren.

Irfan   Sie wissen ja, wir machen . . . . . . 26. Dezember eine kleine Weihnachtsfeier hier im Café …

Das Neandertal is the valley where the remains of Neandertal man were found by J.C. Fuhlrott in 1856. It is a short drive from Wuppertal and a popular destination for a day out. Many people go to visit the Neandertal museum or just for a stroll in the forest.

21 Unjumble the following sentences to practise word order with expressions of time and place. Always start the sentence with the word in bold type. Write out the correct sentences in full. The first one has been done for you. Note: if there is an expression of place as well as an expression of time in a German sentence, time comes *before* place.

Bitte ordnen Sie und schreiben Sie.

I ins Café Einklang / **Herr** / und / kommen / Frau Meyer / heute abend.

Herr und Frau Meyer kommen heute abend ins Café Einklang.

2 **Wir** / um 11 Uhr / in die Stadt / gehen.

3 Sie / am zweiten Weihnachtsfeiertag / ins Café / **Können** / kommen?

4 **Wir** / um halb zwölf / ins Stadtzentrum / gehen, / weil / sehen / möchten / wir / das Feuerwerk.

5 **Unsere** / am 1. Januar / aus Solingen / kommt / Tochter.

6 **Im** / Sommer / Karin, Irfan und die Kinder / fliegen / in die Türkei.

7 Dienstag / Frau Möbius / **Am** / war / zum Kaffee / bei Karin.

8 **Heike** / am Mittwoch nachmittag / ist / aus Dresden / gekommen.

22 Do you know which expressions to use to congratulate people, or to wish them well? Look at the phrases below and match them with their English equivalents.

Bitte ordnen Sie zu.

I	Frohe Ostern!	**a**	Congratulations on passing your exam!
2	Frohe Weihnachten!	**b**	Congratulations on getting your driving licence!
3	Prost Neujahr!	**c**	Happy birthday!
4	Herzlichen Glückwunsch zum Geburtstag!	**d**	Have a good trip!
5	Herzlichen Glückwunsch zum bestandenen Examen!	**e**	Happy Christmas!
6	Herzlichen Glückwunsch zur bestandenen Fahrprüfung!	**f**	Happy Easter!
7	Gute Reise!	**g**	Happy New Year!

5 **23** Here's an opportunity to practise congratulating people. Listen to the German prompts on your cassette and respond with the appropriate phrases from Activity 22 in the pauses.

Bitte sprechen Sie.

> Sie hören: Es ist der 24. Dezember.

> Sie sagen: Frohe Weihnachten!

24 Now read the last part of the story and pick out the correct statements from the alternatives given below.

Bitte lesen Sie und kreuzen Sie an.

• •

Es ist halb zwölf, und das Café ist geschlossen. Karin, Irfan, Wolfgang, Thomas und Heike sitzen um einen Tisch, und auch Herr und Frau Meyer sind gekommen. Zwei Flaschen Sekt stehen im Kühlschrank. „Es tut mir so leid, Irfan", sagt Heike. „Felix war dein Hacker. Ich verspreche, er macht es nie wieder." „Ist schon gut", sagt Irfan. „Er hat ein nettes Fax gesendet." Irfan zeigt das Fax *Lieber Onkel Irfan … Warum Onkel?* fragt Thomas. „Ich verstehe nicht." „Aber Thomas", sagt Heike „Felix ist doch mein Sohn. Er ist 10." „Felix ist also nicht … dein Freund …?" Thomas sucht schnell ein neues Thema. „Irfan, was sind deine Pläne für dein restliches Leben als End-Dreißiger?" „Sei nicht gemein! Ich möchte vor allem in Frieden leben, und ich habe auch Pläne für Café Einklang." „Keine computer-gesteuerte Kaffeemaschine, hoffe ich", sagt Karin. „Und du, Heike, was machst du, wenn du wieder zu Hause bist?" „Oh arbeiten, und an Weihnachten habe ich wieder Ferien. Du, Thomas, möchtest du mich und Felix dann in Dresden besuchen?" „Hmm …", sagt Thomas. Frau Meyer schaut auf die Uhr. Es ist schon 12. „Herzlichen Glückwunsch zum Geburtstag, Irfan. Alles alles Gute …"

sei nicht gemein don't be nasty

der Frieden peace

computer-gesteuert computer-controlled

• •

1 a Felix ist Heikes Sohn. ❏

   b Felix ist Heikes Freund ❏

2 a Felix ist 10 Jahre alt. ❏

   b Felix ist 39 Jahre alt. ❏

3 a Der Hacker war Felix. ❏

   b Der Hacker war Thomas. ❏

4 a Irfan ist 39 Jahre alt. ❏

   b Irfan ist 30 Jahre alt. ❏

5 a Karin möchte eine computer-gesteuerte Kaffeemaschine. ❏

   b Karin möchte keine computer-gesteuerte Kaffeemaschine. ❏

6 a Thomas wird Heike an Weihnachten besuchen. ❏

   b Thomas wird Heike an Weihnachten nicht besuchen. ❏

25 Now write a summary in German of the Café Einklang story you've been reading throughout this book, using the English key words below to help you.

Bitte schreiben Sie.

> Irfan and Karin Meyer-Sert – owners of Café Einklang – two children aged 7 and 4 – grandparents often have to babysit – Irfan has bought a new computer and printer – has problems, because first the printer and then the computer doesn't work – Heike (Karin's friend from Dresden) arrives on Wednesday – Karin's brother Thomas picks her up from the station – on Friday he shows her the town and they go on the *Schwebebahn* – Thomas thinks Heike has a boyfriend, but she doesn't – she has a son (10) called Felix – a computer enthusiast – he's hacked into Irfan's computer, but sends a nice fax for his birthday and apologizes – Heike would like to invite Thomas to Dresden.

Irfan und Karin Meyer-Sert sind die Besitzer von Café Einklang in der Mozartstraße in Wuppertal. Sie …

If you now listen to the last *Thema* on your independent listening cassette, you will hear people speak about their birthdays and you will hear an interview with the owner of a very traditional café in Wuppertal.

Checkliste

Now you can

- use the perfect tense to talk about the past (*Vormittag* page 152–3)
- understand some business communications (*Vormittag* page 155–6)
- talk about the future (*Nachmittag* page 160)
- accept or decline an invitation (*Nachmittag* page 162)
- use *war* and *hatte* to talk about the past (*Nachmittag* page 162)
- use prepositions for expressions of time and place (*Abend* page 166–7)
- offer congratulations (*Abend* page 168)
- write a summary (*Abend* page 170)

Testaufgaben

A Make complete sentences using the perfect tense of the verbs in brackets.

1 Der Elektriker heute die Kaffeemaschine (reparieren).

2 Karin am Dienstag die Kinder (abholen).

3 Heike am Mittwoch nach Wuppertal (kommen).

4 Frau Möbius den Führerschein (machen).

5 Heike und Thomas mit der Schwebebahn (fahren).

6 Herr und Frau Söderbaum ihren Computer (verkaufen).

B Choose the appropriate word to complete the sentences below.

1 Wir kommen im nächsten
  a Sommer. ❏
  b Montag. ❏
  c Neandertal. ❏

2 Gestern haben wir eine Tagestour nach … gemacht.
  a Türkei ❏
  b Park ❏
  c Frankreich ❏

3 Meine Eltern kommen um
  a Sonntag. ❏
  b Nachmittag. ❏
  c 16 Uhr. ❏

4 Sie kommen zum
  a Kaffee. ❏
  b Türkei. ❏
  c Mozartstraße. ❏

5 Ich möchte gerne in den … fahren.
  a Wald ❏
  b Schwebebahn ❏
  c Frankreich ❏

C   Choose the two replies that are appropriate in each case.

1   Ich möchte Sie zu meinem Geburtstag einladen.

    a   Ja, ich komme gerne.

    b   Soll ich etwas mitbringen?

    c   Warum?

2   Kommen Sie zu unserer Betriebsfeier?

    a   Ja, ich war letztes Jahr auf der Betriebsfeier.

    b   Nein, ich muß babysitten.

    c   Ja, natürlich.

3   Darf ich Ihnen ein Stück Kuchen anbieten?

    a   Nein danke, ich möchte abnehmen.

    b   Ja, gerne.

    c   Das gefällt mir gut.

4   Wir fahren morgen nach Hamburg.

    a   Herzlichen Glückwunsch!

    b   Gute Reise!

    c   Um wieviel Uhr fahren Sie?

Lösungen

Übungen

1

2 „Ich heiße Karin **Meyer-Sert**.“

3 „Ich bin Irfan Sert, Karins **Mann**.“

4 „Guten **Morgen**, Herr Klose.“

5 „Thomas, das ist Herr Klose, der neue **Kellner**.“

2

2	Ich bin Karin Meyer-Sert.	a	Ich bin Irfans Frau.
3	Ich heiße Thomas.	d	Ich bin Karins Bruder.
4	Ich bin Irfan Sert.	c	Ich bin Karins Mann.

3,4

You have heard the correct answers on the cassette and can find the written version in your audio transcript booklet.

5

Here are the unjumbled sentences.

2 Das ist Herr Sert.

3 Wie geht es Ihnen? Nicht so gut.

4 Hallo, ich bin Thomas.

5 Guten Tag, ich heiße Karin.

6

Dialog 1

Wolfgang Klose   Guten Morgen.

Irfan Sert   Guten Morgen, Herr Klose. Wie geht es Ihnen?

Wolfgang Klose   Danke, gut.

Irfan Sert   Karin, das ist Wolfgang Klose.

Karin Meyer-Sert   Freut mich, Herr Klose. Willkommen im Café Einklang! Ich bin Karin Meyer-Sert.

Dialog 2

Thomas Meyer 'n Morgen.

Wolfgang Klose Guten Morgen. Ich bin Wolfgang Klose, der neue Kellner.

Thomas Meyer Ich bin Thomas Meyer, ich bin Karins Bruder.

Wolfgang Klose Oh, hallo – und wer ist das?

Thomas Meyer Das ist Mimi, unsere Katze.

7

The place names mentioned are München (in the south of Germany) and Wuppertal, Remscheid and Leverkusen (all in the west of Germany near the River Rhein and not far from each other). Wolfgang Klose would say *Ich komme aus München. Ich wohne in Wuppertal.*

Did you notice the question words?

Woher kommen Sie? = Where do you come from? *Woher* means 'where from'.

Wo wohnen Sie? = Where do you live? *Wo* means 'where'.

8

2	„Hallo, wie geht's?"	Frau Klein
3	„Woher kommen Sie, Herr Klose?"	Herr Stein
4	„Ich komme aus München."	Wolfgang Klose
5	„Wir kommen aus Leverkusen."	Frau Klein
6	„Ein Pils und ein Glas Wein, bitte."	Frau Klein
7	„Rotwein oder Weißwein?"	Wolfgang Klose

9

Look at the vocabulary page for *Sonntag* if you don't know what some of these words mean. You should note that the drink measures are given in litres, apart from *Korn*, which is in centilitres.

10

The names of the drinks are: *Bier, Korn, Mineralwasser, Pils, Orangensaft, Rotwein.* You can hear the complete dialogue on the cassette and read it in the audio transcript booklet.

11

The words are in your book and you can hear them on the cassette.

12

You should have put a cross next to these sentences.

2 Das ist meine Tochter Saskia.

4 Eine Tomatensuppe und ein Käsebrot.

6 Wo sind die Toiletten?

7 Eine Gemüsepizza mit Salat, bitte.

13

	wohnt in	kommt aus	ist	arbeitet bei
Herr Söderbaum	Wuppertal-Elberfeld	Hamburg	Elektro-ingenieur	Futura Elektronik GmbH
Frau Söderbaum	Wuppertal-Elberfeld	Wuppertal	Maschinenbau-Ingenieurin	Kölln und Gruber KG
Frau Evans	Wuppertal	Wales	Sekretärin	Futura Elektronik GmbH
Herr Hueber	Wuppertal-Barmen	Süddeutschland	Reporter	—
Frau Pahl	Remscheid	Wuppertal	Hotel-Rezeptionistin	—
Herr Heissendörfer	Remscheid	Duisburg	Taxifahrer	—

Did you notice how the female version of a job often adds -in (der Ingenieur = a male engineer, die Ingenieurin = a female engineer)? Further examples are listed in the vocabulary section.

14

Lieber Herr Drexler,

Lange nichts gehört. Wie geht's? Ich arbeite seit heute in einem Café in Wuppertal: Café Einklang. Ich glaube, die Arbeit ist nicht schlecht und die Besitzer sind okay. Frau Meyer-Sert kommt aus Wuppertal, die Eltern wohnen seit 40 Jahren in Elberfeld und Herrn Serts Vater kommt aus Istanbul. Karins Bruder arbeitet auch im Café. Ein richtiger Familienbetrieb! Und Sie? Arbeiten Sie noch im Hilton? Wenn Sie mal ins Café Einklang kommen, trinken wir ein Bier.

Bis dann

Wolfgang Klose

Did you notice how easy it is to ask questions in German? The statement *Sie arbeiten im Hilton* (you work at the Hilton) becomes the question *Arbeiten Sie im Hilton?* (Do you work at the Hilton?) by inverting the verb and subject of the sentence.

15

The type of cake that is on the menu but is not mentioned in the story is *Schwarzwälder Kirschtorte*.

16

		richtig	falsch
2	Frau Kleinert ist die **Köchin**.	☐	☒
3		☒	☐
4		☒	☐
5	Karins Eltern kommen um **vier**.	☐	☒
6	Karin hat **zwei** Kinder.	☐	☒

17

You have heard the correct pronunciation on your cassette and can find the written version in your audio transcript booklet.

18

1 In 1994 the most popular drink in Germany was **coffee**. Germans drink on average **169** litres of coffee per year.

2 89% of coffee drinkers in Germany have coffee **for breakfast**.

3 76% of coffee drinkers in Germany have coffee **in the afternoon**.

4 Only 9% of coffee drinkers in Germany have coffee **before going to bed**.

19

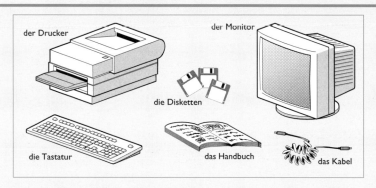

20

Here is the completed dialogue:

Frau Kleinert   Was ist das, Herr Sert?

Irfan Sert   Das ist **eine** Computermaus.

Frau Kleinert   Ah.

Irfan Sert   Der neue Computer ist im Büro – hier! Das ist **der** Drucker. Vorsicht, Frau Kleinert – **das** Kabel!

Frau Kleinert   Und was ist das?

Irfan Sert   Das ist **eine** Diskette, und das hier ist **die** Tastatur. Aber wo ist **das** Handbuch?

Frau Kleinert   Äh, da ist **ein** Buch im Karton.

Irfan Sert   Ach ja, vielen Dank.

Note that if a noun is made up of two or more other words, such as *Handbuch*, the second word determines the gender. *Das Buch* is neuter, so *Handbuch* is also neuter.

21

Artikel	Plural	Englisch
die Tasse	die Tassen	cup
das Kännchen	die Kännchen	pot
der Tisch	die Tische	table
der Löffel	die Löffel	spoon
das Besteck	die Bestecke	cutlery (note that cutlery does not exist in the plural in English, but *Bestecke* does in German)
der Teller	die Teller	plate
das Glas	die Gläser	glass
der Zapfhahn	die Zapfhähne	tap
das Tablett	die Tabletts	tray
die Katze	die Katzen	cat

22

You have heard the correct pronunciation on the cassette and have seen the numbers written out in the book.

23

2 **Karin** bringt Wolfgang Kloses Lebenslauf ins Büro.

3 **Thomas und Wolfgang** sitzen in der Küche und trinken Bier.

4 **Wolfgang Klose** ist verheiratet und hat zwei Kinder. (Karin und Irfan auch!)

5 **Wolfgangs Sohn** ist Hausmann.

6 **Wolfgangs Tochter** ist Verkäuferin.

7 **Thomas** arbeitet nur in den Semesterferien im Café.

24

	Geschichte	Lebenslauf
1 Wolfgang Klose ist verheiratet.	☒	☒
2 Wolfgang Kloses Frau ist Sekretärin.	☒	☐
3 Er hat zwei Kinder.	☒	☐
4 Er wohnt in Wuppertal.	☐	☒
5 Er ist Kellner.	☐	☒
6 Er ist 1947 in München geboren.	☐	☒
7 Er lernt Französisch.	☐	☒

25

1 Wolfgang Klose **ist** Kellner. Er **ist** verheiratet und hat zwei Kinder.

2 Wolfgang Kloses Tochter **ist** Verkäuferin.

3 Was **sind** Sie von Beruf? Ich **bin** Student.

4 David und Miriam – wo **seid** ihr?

5 Herr und Frau Meyer-Sert **sind** im Büro.

6 Am Telefon: Hallo, Mutter. Wie geht's? Wir **sind** hier im Café Einklang …

7 Wo **bist** du, Irfan? – Hier, im Büro.

26

2 Irfan Sert ist der Vater von David und Miriam. Er ist Computerfan.

3 Karin Meyer-Sert ist mit Irfan verheiratet. Sie ist die Mutter von David und Miriam.

4 Thomas Meyer ist Karins Bruder. Er ist Student.

5 David und Miriam sind die Kinder von Karin und Irfan. Sie sind sieben und vier Jahre alt.

6 Here are some sentences you might have written about yourself.

Ich bin . . . . . . geboren. Ich bin . . . . . . Jahre alt. Ich bin (nicht) verheiratet. Ich bin (Ihr Beruf). Ich bin die Mutter/der Vater von . . . .

You might also have written about where you live, work or study.

Ich wohne in . . . . Ich komme aus . . . . Ich arbeite bei . . . . Ich lerne . . . .

27

You have heard the correct way to pronounce the letters on the cassette and can see them in your book.

28

You have heard the correct way to spell these names on the cassette and can find the written version in your audio transcript booklet.

1

Answer No. 3 is correct: *ein Brötchen mit Marmelade, eine Scheibe Vollkornbrot, ein gekochtes Ei, ein Kännchen Kaffee.*

2

No feedback is provided here since there are model answers on the cassette and a written version is provided in the audio transcript booklet.

Montag

3

Here are the correct answers:

1 **b** Zahlen, bitte.

2 **a** Wie bitte?

3 **a** Was macht das?

4 **b** Entschuldigung.

5 **a** Stimmt so!

4

1 Die Rechnung, bitte.

2 Entschuldigung, wir möchten zahlen.

3 Was macht das zusammen, bitte?

4 Deißig Mark, der Rest ist für Sie.

5 Entschuldigung, das macht zusammen dreißig Mark, nicht vierzig Mark.

5

No feedback is provided here as you have heard the correct pronunciation on your cassette and the written version is in your book.

6

3	DM 93,–	Dreiundneunzig Mark
4	DM 44,–	Vierundvierzig Mark
5	DM 72,–	Zweiundsiebzig Mark.
6	DM 65,50	Fünfundsechzig Mark fünfzig
7	DM 22,75	Zweiundzwanzig Mark fünfundsiebzig
8	DM 35,98	Fünfunddreißig Mark achtundneunzig
9	DM 12,20	Zwölf Mark zwanzig
10	DM 190,–	Einhundertneunzig Mark
11	DM 320,75	Dreihundertzwanzig Mark fünfundsiebzig

7

No feedback is provided here since there are model answers on the cassette and a written version is provided in the audio transcript booklet.

8

1 **b** Herr Niemeyer **ist Exportleiter**.

2 **b** Herr Niemeyer **spricht nicht Italienisch**.

3 **a** Herr Catt ist **verheiratet**.

4 **b** Frau Catt kommt **aus Schottland**.

5 **a** Herr Rohrer hat **drei Kinder**.

6 **b** Herr Rohrer ist **geschieden**.

9

1	Sind Sie verheiratet?	b	Nein, ich bin ledig.
2	Haben Sie Kinder?	c	Ja, ich habe einen Sohn und eine Tochter.
3	Wie alt ist Ihre Tochter?	a	Sie ist elf Jahre alt.
4	Wie alt ist Ihr Sohn?	e	Er ist fünf Jahre alt.
5	Sind Sie geschieden?	d	Nein, wir sind nicht geschieden, aber wir leben getrennt.
6	Wie alt sind Ihre Kinder?	f	Mein Sohn ist 20, und meine Tochter ist 23 Jahre alt.

10

No feedback is provided here since there are model answers on the cassette and a written version is provided in your audio transcript booklet.

11

1 Herr Söderbaum hat **einen** Sohn und **eine** Tochter.

2 Ich habe **ein** Kind. Es ist 6 Monate alt.

3 Irfan hat im Büro **einen** Computer und **einen** Drucker.

4 „Karin, **der** Drucker funktioniert nicht!"

5 „Ich nehme **einen** Kaffee."

6 „Und ich möchte auch **eine** Tasse Kaffee, bitte."

7 Meine Firma hat **einen** Umsatz von DM 200 Mio. im Jahr.

12

	Umsatz	Gewinn
Futura Elektronik GmbH	DM 47 Mio.	DM 950 000
Kölln und Gruber KG	DM 12 Mio.	DM 285 000
Prografik AG	DM 5 Mrd.	DM 283 Mio.
Müller & Co. KG	DM 13,6 Mio.	DM – 325 000

Mio. is the abbreviation for *Millionen* and *Mrd.* is the abbreviation for *Milliarden*. Note that 'thirteen point six' is *dreizehn Komma sechs* in German.

13

Thomas	Irfan	Karin	Kinder	Wolfgang
Deutsch Englisch ein bißchen Italienisch (und er lernt Türkisch)	Türkisch Deutsch	Deutsch Türkisch	Deutsch Türkisch	Deutsch ein bißchen Französisch

14

1 Sprechen Sie **Deutsch**?

2 Bitte sprechen Sie **langsamer**.

3 Ich spreche **ein bißchen** Deutsch.

4 Mein Mann spricht **sehr gut** Türkisch.

5 **Sprechen** Ihre Kinder Englisch?

6 Ich spreche **Französisch**.

7 Ich **verstehe** nicht.

8 Sie sprechen **gut** Englisch.

15

No feedback is provided here since there are model answers on the cassette and a written version is provided in your transcript booklet.

16

a Frau Gambrini put up advert No. 4.

b Frau Mahler-Dupont put up advert No. 3.

c Herr Söderbaum put up advert No. 1.

d Frau Müller put up advert No. 5.

e Herr Schwartz put up advert No. 2.

17

You might have written something like this:

Suche Babysitter für meinen Sohn Simon und meine Tochter Jennifer. (Ich suche einen Babysitter für meinen Sohn Simon und meine Tochter Jennifer.) (Wir suchen einen Babysitter für unseren Sohn Simon und unsere Tochter Jennifer.) Simon (6 Jahre) spricht ein bißchen Deutsch, aber Jennifer (4 Jahre) spricht nur Englisch. Wir wohnen in Wuppertal-Elberfeld.

18

Heike would say either:

1 Ja, ich esse gerne Pizza.

or

4 Nein, ich esse nicht gerne Pizza.

19

The answers you write will depend on your own personal taste, but you should have divided items of food and drink as follows.

Ich **esse** (nicht) gerne: Obst, Gemüse, Suppe, Fleisch, Fisch, Süßigkeiten, Hähnchen, Speck, Bratwurst, Kartoffeln, Reis, Nudeln, Salat

Ich **trinke** (nicht) gerne: Rotwein, Sekt, Schnaps, Tomatensaft

The odd ones out are *Teller* (plate), *Messer* (knife), *Geschirr* (crockery) and *Gabel* (fork).

20

1 Heike **ißt** gerne Pizza, und sie **trinkt** gerne Rotwein.

2 Karin und Irfan **essen** viel Gemüse, und sie **trinken** gerne Bier.

3 Die Kinder **essen** gerne Nudeln, und sie **trinken** Apfelsaft.

4 Ich **esse** zum Frühstück Müsli, und ich **trinke** Kaffee.

5 Wir **essen** sonntags gerne Kuchen, und wir **trinken** Tee oder Schokolade.

21

No feedback is provided here since there are model answers on the cassette and a written version is provided in your transcript booklet.

22

The following statements are correct:

1 Heike ist eine Freundin von Karin.

2 Heike heißt mit Nachnamen Schuckard.

5 Heike kommt aus Dresden.

6 Heike hat eine Woche Urlaub.

8 Heike kommt am Mittwoch nach Wuppertal.

9 Heike ist hübsch.

23

This is how you would address these people:

1	Ihr Arzt	Sie
2	Ihre Tante	du
3	Ihre zwei Brüder	ihr
4	Ihr bester Freund	du
5	der Kassierer im Supermarkt	Sie
6	eine Kollegin	Sie
7	Ihre Chefin	Sie
8	Ihre Nachbarin	Sie
9	drei kleine Kinder	ihr

In Germany people usually use *Sie* to address their work colleagues or their neighbours even if they've known them for a long time. In general, younger people use *du* much more readily than older people.

24

2 Wann fährst du in Dresden los?

3 Wie kommst du zum Bahnhof? Hast du ein Auto?

4 Wo schläfst du in Frankfurt?

5 Nimmst du den Intercity ab Frankfurt?

6 Ißt du gerne Pizza?

7 Trinkst du gerne Rotwein?

8 Wann fährst du wieder zurück?

25

Du fährst also um **11.30** Uhr in Dippoldiswalde los. Dann nimmst du den Intercity ab Dresden um **12.51** Uhr, und du bist dann um **15.40** Uhr in Frankfurt. Dort schläfst du ja bei Sabine. Du nimmst dann am Mittwoch vormittag die S-Bahn um **10.45** Uhr zum Hauptbahnhof und nimmst den Zug um **11.21** Uhr. Du bist dann um **16.35** Uhr in Wuppertal.

Dienstag

1

1 **d** aufstehen

2 **c** aufräumen

3 **a** abholen

4 **e** einkaufen

5 **b** anrufen

2

		richtig	falsch
1	Thomas **faulenzt**.	☐	☒
2		☒	☐
3	**Karin** räumt **das Wohnzimmer** auf.	☐	☒
4		☒	☐
5	**Karin holt die Kinder ab**.	☐	☒

(As Karin picks the children up from somewhere, they are obviously not at home.)

3

1 Thomas **c** faulenzt. **f** steht erst um 11 Uhr auf.

2 Karin **b** räumt das Wohnzimmer auf. **e** holt die Kinder ab.

3 Irfan **a** kauft ein. **d** ruft den Elektriker an.

4

2 Ich hole das Paket ab.

3 Ich spüle das Geschirr.

4 Ich putze das Bad.

5 Ich räume den Tisch ab.

6 Ich hänge die Wäsche auf.

7 Ich bügele meine Hose.

8 Ich gehe auf die Bank und bezahle die Rechnungen.

5

Es ist Dienstag morgen. Karin und Irfan arbeiten heute zu Hause. Karin **räumt** das Wohnzimmer **auf** und **putzt** die Fenster. Dann **hängt** sie die Wäsche **auf**. Irfan ist in der Küche. Er **räumt** den Tisch **ab** und **spült** das Geschirr. Die Spülmaschine ist seit letzter Woche defekt. Irfan **ruft** den Elektriker **an**. Karin **holt** dann die Kinder **ab**. Miriam ist im Kindergarten, und David ist in der Schule. Irfan **kauft** im Supermarkt **ein** und **bügelt** dann die Wäsche. Nach dem Essen geht Irfan auf die Bank und **bezahlt** die Rechnungen.

6

You have heard the correct answers on your cassette and can find the written version in the audio transcript booklet.

7

1 Thomas wacht um halb zwölf auf. (Note: *halb zwölf* means half way to twelve o'clock, that is, 11.30.)

2 Er muß um zwölf bei den Eltern sein.

3 Sie kocht für Thomas.

4 Sie essen Pfannkuchen.

5 Nein, Frau Meyer bügelt die Wäsche.

6 Heike ist Karins Freundin.

7 Sie kommt aus Dresden.

8 Sie fährt nach Frankfurt.

9 Sie ist Musikerin.

10 Sie ist 29 (Jahre alt).

8

You have heard the correct intonation of these questions on the cassette.

9

2 Was ist Wolfgang Klose von Beruf?

3 Wie heißt Karins Mann?

4 Woher kommt er?

5 Ist Karin nett?

6 Wie alt ist (Karins und Irfans Sohn) David?

7 Wie heißt die Katze?

8 Kommt Heike am Donnerstag (or any day of the week apart from *Mittwoch*)?

9 Wer holt sie ab?

10

1 **b** People in paid employment spend **2 hours, 48 minutes** on housework or other unpaid work every day.

2 **a** The amount of time spent on housework **increases** as people get older.

3 **a** People in paid employment spend **more time** on media, sports and cultural events than old age pensioners.

11

1 Frau Möbius is coming in the afternoon to **have coffee** with Karin.

2 Frau Möbius is coming **at half past three** (*um halb vier*).

3 Irfan has gone **to the park** with the children.

4 Karin and Irfan have **a flat**.

5 Karin and Irfan's home has **four** rooms plus kitchen and bathroom.

12

2 = Schlafzimmer

3 = Wohnzimmer

4 = Bad

5 = Küche

6 = Kinderzimmer

13

	Haus oder Wohnung?	Wie viele Zimmer?	Garten?	Arbeitszimmer?
Karin und Irfan	Wohnung	4 Zimmer, Küche und Bad	ja	ja
Frau Möbius	Bungalow	3 Zimmer (Wohnzimmer, Schlafzimmer, Gästezimmer)	ja	nein

14

		richtig	falsch
1		☒	☐
2	First they clean the **cellar** and then they clear up the **attic**.	☐	☒
3	In the **attic** there are chairs, a table, beds and a wardrobe.	☐	☒
4		☒	☐
5	Thomas wants to show the photographs to his **mother**.	☐	☒

15

2 Dann arbeitet Karin im Keller.

3 Dort putzt sie die Fenster.

4 Zuerst ruft Irfan den Elektriker an.

5 Danach bezahlt er die Rechnungen.

6 Später holen Karin und Irfan die Kinder ab.

7 Schließlich gehen alle einkaufen.

16

Ein Nachmittag bei Familie Meyer

Heute räumen die Meyers das Haus auf. **Zuerst** putzen Thomas und sein Vater den Keller. **Dort** sind viele alte Kisten. Thomas trägt sie in die Garage. **Danach** (Dann) waschen die beiden das Auto. **Später** kaufen Thomas und Frau Meyer im Supermarkt ein: „Wo ist denn der Reis?" fragt Frau Meyer. „**Dort drüben** im Regal ist er." An der Kasse fragt Thomas: „Wer bezahlt, du oder ich?" „Du bezahlst, **hier** ist das Geld, und ich packe die Sachen ein", sagt Frau Meyer. **Dann** (Danach) fahren sie wieder nach Hause. **Schließlich** trinken sie alle zusammen im Wohnzimmer Kaffee.

17

You have heard the correct answers on your cassette and can find the written version in the audio transcript booklet.

18

These are the twelve words hidden in the word search.

Horizontally – das Schlafzimmer, die Wohnung, das Bett, die Kommode, der Computer, der Dachboden, der Tisch

Vertically – der Stuhl, das Fenster, das Bad, der Garten, der Keller

19

1 Hast du heute abend Zeit? (Habt ihr heute abend Zeit?) (Note that the formal version of this would be *Haben Sie heute abend Zeit?*)

2 Wollen wir ins Kino gehen?

3 Ja, gern.

4 Das ist eine gute Idee.

5 Gut.

6 Nein, ich kann nicht.

7 Ich habe keine Zeit.

8 Tut mir leid. (Frank uses a shortened form of the expression *Es tut mir leid.*)

9 Ich muß arbeiten.

10 Ich habe keine Lust.

11 Ich möchte lieber …

12 Ich weiß nicht.

20

This is what your dialogue should look like.

– Haben Sie heute abend Zeit?

– Nein, tut mir leid. Ich muß arbeiten.

– Und morgen abend? Sie gehen doch auch gerne in die Oper. Es gibt Fidelio.

– Ja, morgen abend geht es. Um wieviel Uhr?

– Um 20 Uhr, aber wollen wir vielleicht vorher noch ein Bier trinken?

– Ja, gern. Gute Idee.

– Gut, ich hole Sie morgen um 19 Uhr ab.

– Okay. Tschüs bis morgen dann. Ach – und kaufen Sie die Karten?

– Die Karten können wir dort kaufen.

21

2 Ich muß die Kinder abholen. (Note that the second verb is always in the infinitive. This means that separable verbs do not get divided up.)

3 Thomas Meyer kann ein bißchen Türkisch sprechen.

4 Wollt ihr heute abend essen gehen?

5 Irfan Sert will im Mai zur Gastronomiemesse in Düsseldorf fahren.

6 Die meisten Leute müssen am Samstag nicht arbeiten.

7 Ich kann am Donnerstag abend nicht ins Theater gehen. Ich muß arbeiten.

22

1   a   fernsehen

2   c   Musik/Radio hören

3   d   lesen

4   e   Scrabble spielen

5   f   ins Restaurant gehen/essen gehen

6   b   schwimmen gehen

23

2   Irfan sitzt im **Wohnzimmer** und hört Radio.

3   Karin möchte **Scrabble** spielen.

4   Irfan möchte **nicht** fernsehen.

5   Karin möchte nächsten Dienstag mit Heike ins **italienische** Restaurant gehen.

6   Irfan möchte heute abend **ins Café** gehen.

7   Karin denkt, das ist **keine** gute Idee.

24

You have heard the correct answers on your cassette and can find the written version in the audio transcript booklet.

25

You have heard the correct answers on your cassette and can find the written version in the audio transcript booklet.

26

Herr Sievers   **Wollen** wir morgen abend zu Hause bleiben und fernsehen?

Frau Sievers   Ich weiß nicht, ich **möchte** lieber in die Stadt fahren und etwas Interessantes machen.

Herr Sievers   In die Stadt? Was **kann** man denn da Interessantes machen?

Frau Sievers   Da **können** wir ins Kino gehen oder ins Theater … oder …

Herr Sievers   Ach, ich habe keine Lust auf Theater oder Kino. Ich **möchte** lieber in die Kneipe gehen.

Frau Sievers   Immer in die Kneipe … da **kann** man doch nichts machen, immer nur trinken und langweilige Leute treffen. Da **kann** ich auch zu Hause bleiben! Da **muß** ich für mein Bier nicht extra bezahlen.

Herr Sievers   Na, das sage ich doch! Das ist doch meine Idee! Bleiben wir also zu Hause. Da **können** wir wenigstens Geld sparen.

Frau Sievers   Na gut … wie immer … ach, ist das langweilig …

27

There is no planetarium in Wuppertal.

Mittwoch

1

1 Frau Hauck möchte einen Tisch reservieren.

2 Sie möchte Freitag abend um 19 Uhr kommen.

3 Sie reserviert einen Tisch für drei Personen.

2

2 Wann möchten Sie kommen? a Am Freitag abend, um 19 Uhr.

3 Wie schreibt man das? d Mit ‚ck‘.

4 Für wie viele Personen? c Für drei Personen.

3

1 Herr Herbst wants to know whether it would be a problem to bring a group which includes four people in wheelchairs.

2 Karin says no, it's no problem.

3 He wants to book a table for Saturday night at about eight pm.

4 The café is practically booked up.

5 Karin suggests they could come at 6 pm.

6 Yes, he accepts.

4

Karin Café Einklang, guten Morgen!

Herr Maier Guten Morgen, hier Maier.

Karin Was kann ich für Sie tun, Herr Maier?

Herr Maier Ich möchte gerne einen Tisch für Sonntag abend reservieren.

Karin Für wie viele Personen?

Herr Maier Für vier Personen.

Karin Um wieviel Uhr möchten Sie kommen?

Herr Maier Um 20 Uhr, geht das?

Karin Ja, das geht.

Herr Maier Gut.

Karin Also, ein Tisch für vier Personen, für Sonntag abend um 20 Uhr, für Herrn Maier ... Entschuldigung, wie schreibt man Maier, mit ‚ei‘ oder mit ‚ey‘?

Herr Maier Mit ‚ai‘!

Karin Danke schön, Herr Maier, auf Wiederhören.

Herr Maier Auf Wiederhören.

5

You have heard the correct answers on your cassette and can find the written version in your audio transcript booklet.

6

1 a   Frau Reisenberger möchte am 3. Oktober ins Café Einklang kommen.

2 b   Am 3. Oktober ist das Café ausgebucht.

3 a   Karin möchte nicht nein sagen, weil Frau Reisenberger oft ins Café kommt.

4 b   Irfan ist am Telefon.

5 a   Karin will mehr Stühle und Tische organisieren.

7

2   Silvester

3   Heilig Abend

4   Neujahr

5   Karneval *or* Fasching

8

You have heard the correct answers on your cassette and can find the written version in the audio transcript booklet.

9

Here are the completed dialogues.

Dialog 1

Rezeptionistin   PC-Markt. Guten Morgen.

Irfan   Mein Name ist Sert. Ich **möchte** bitte den Geschäftsführer **sprechen**.

Rezeptionistin   Die Geschäftsführerin … Das ist Frau Schmidt. Sie ist im Moment leider nicht im Hause. Können Sie später noch einmal **anrufen**?

Irfan   Ja gut. Auf Wiederhören.

Rezeptionistin   **Auf Wiederhören**.

Dialog 2

Rezeptionistin   PC-Markt. Guten Morgen.

Irfan   Guten Tag, **hier ist** Sert. Bitte **verbinden** Sie mich mit Frau Schmidt.

Rezeptionistin   Ah … **tut mir leid**, Herr Sert. Frau Schmidt spricht im Moment mit einem Kunden.

Irfan   Hmm … ich **rufe** in 10 Minuten noch einmal **an**. Wiederhören.

Dialog 3

Rezeptionistin   PC-Markt. Guten Morgen.

Irfan   Sert **am Apparat**. Ich möchte bitte mit Frau Schmidt sprechen.

Rezeptionistin   **Einen Moment**. Ich verbinde.

Frau Schmidt   Schmidt. Guten Tag.

Irfan   Guten Tag. Mein Name ist Irfan Sert. Ich habe am 19. September einen Computer und Drucker gekauft. Das ist Auftragsnummer PC 102/17…

10

Frau Schmidt Schmidt. Guten Tag.

Irfan Guten Tag. Mein Name ist Irfan Sert. Ich habe am 19. September einen Computer und Drucker gekauft. Das ist Auftragsnummer PC102/17/98, und mein Problem ist: der Drucker funktioniert nicht.

Frau Schmidt Ja, können Sie die Auftragsnummer wiederholen, bitte?

Irfan Ja, das ist PC102/17/98 für Sert. S E R T.

Frau Schmidt Danke. Aber zuerst eine Frage: haben Sie das Druckerkabel korrekt eingesteckt?

Irfan Ja, natürlich. In den Drucker-Port hinten rechts.

Frau Schmidt Nein. Der richtige Drucker-Port ist links.

Irfan Oh, äh. Ja, vielleicht steckt das Kabel nicht korrekt im Moment.

Frau Schmidt Ja, am besten lesen Sie das Handbuch, und wenn Sie dann noch ein Problem haben, rufen Sie morgen wieder an.

Irfan Vielen Dank. Auf Wiederhören.

Frau Schmidt Auf Wiederhören, Herr Sert.

11

hotel *Hotel*

guest house *Gasthof*

bed and breakfast *Pension* (the place);
    Übernachtung mit Frühstück (the service)

single room *Einzelzimmer*

double room *Doppelzimmer*

conference rooms *Konferenzräume*

German cuisine *deutsche Küche*

half board *Halbpension*

full board *Vollpension*

12

You have heard the model answers on your cassette and can find the written version in the audio transcript booklet.

13

The Linder Golfhotel Juliana is 9 km from **the centre of Wuppertal**, 35 km from **the Düsseldorf trade fair and Düsseldorf airport** and 25 km from **the trade fair site at Essen**. It has 135 **comfortable rooms** and 11 **conference and banqueting rooms**. The **fitness centre** covers an area of over 600 square metres and there is an 18-**hole golf course** right next to the hotel.

14

1 Der Anrufer möchte einen Konferenzraum für **25** Personen für den **21. Oktober** reservieren.

2 Er braucht den Raum von **8.30** bis **16** Uhr und möchte auch ein **Mittagsbüffet**.

3 Der Gast heißt Herr **Watzlawick**.

15

You have heard the model answers on the cassette and can find the written version in the transcript booklet.

16

1 Heike is going to stay with Thomas's (and Karin's) parents.

2 They get there by *Schwebebahn* (after Thomas's car breaks down).

17

	richtig	falsch
1 Die Meyers haben **Platz genug in ihrem Haus**.	☐	☒
2 Heike übernachtet **oft** im Hotel.	☐	☒
3	☒	☐
4	☒	☐
5 **Die Batterie** ist leer.	☐	☒
6	☒	☐

18

1 Dann bis morgen, Herr Hueber. Ich hole **Sie** vom Bahnhof ab.

2 Es tut mir leid. Herr Berger ist nicht im Hause. Können Sie **ihn** morgen noch einmal anrufen?

3 Ich habe in fünf Minuten einen Termin. Bitte, rufen Sie **mich** heute nachmittag noch einmal an.

4 Unsere Freunde aus Amerika kommen am Freitag nach Düsseldorf. Ich hole **sie** vom Flughafen ab.

5 Hallo, ein Glas Mineralwasser für meinen Mann, bitte, und für **mich** eine Tasse Kaffee.

6 Wir kommen am Donnerstag mittag. Bitte holen Sie **uns** um 16 Uhr vom Bahnhof ab.

7 Wann kommt ihr endlich nach Wuppertal? Ich möchte **euch** gerne kennenlernen.

19

1 immer

2 meistens

3 oft

4 manchmal

5 selten

6 nie

20

You should have marked the symbol for snow, number 3.

21

The answer depends on what you like drinking. The customer in the dialogue orders *einen Grog*.

22

You should have underlined these expressions:

12 Grad Celsius/Regen/naß/am Nachmittag scheint die Sonne/windig/zwischen 12 und 15 Grad/kalt/neblig

23

	Morgens	Nachmittags	Abends/nachts
Mittwoch	—	—	windig, naß und kalt, 3 bis 6 Grad Celsius
Donnerstag	neblig	die Sonne scheint, windig, kalt, bis 12 Grad Celsius	—
Freitag	Regen, bis 15 Grad		Nebel, Temperaturen um 5 Grad Celsius
Wochenende	Regen, Tagestemperaturen zwischen 12 und 15 Grad		—

24

Your answer depends on what you would prefer to do. Wolfgang and the Café Einklang customers want to organise a *Skat* tournament and play other games as well, including some for children.

25

2 Gast 1 möchte einen Grog trinken.

3 Er hat ein Marketing-Seminar.

4 Er will mit den Kindern in den Zoo gehen.

5 Die Wettervorhersage für das Wochenende ist schlecht.

6 Sie spielt gerne Skat.

7 Er möchte ein Skat Turnier organisieren.

8 Er ist zu müde. Er möchte lieber zu Hause im Bett bleiben und fernsehen.

26

You have heard the model answers on the cassette and can find the written version in the audio transcript booklet.

27

I Was machen wir am Wochenende? Wollen wir **ins** Café gehen?

2 Nein, lieber **ins** Museum. Ich möchte mal wieder etwas Kulturelles machen.

3 Ich muß nachher noch **auf die** Post gehen und das Paket abholen.

4 Wenn es schneit, können wir nicht **auf den** Fußballplatz gehen.

5 Wenn es regnet, gehen wir **in die** Kneipe.

6 Ich reserviere dann die Übernachtung mit Frühstück für Sie. Möchten Sie lieber **in ein** Hotel oder **in einen** Gasthof gehen?

28

In Wuppertal ist sehr schlechtes Wetter, und die Meyer-Serts warten auf Heike. Alle freuen sich, als sie schließlich kommt. Karin will wissen, wie es Felix geht. Beim Essen sitzt Heike neben Thomas. Es gibt Gemüsepizza und Salat, weil Heike und Thomas beide Vegetarier sind.

29

I Ich bin Vegetarier/in	b	Ich esse kein Fleisch.
	f	Ich esse Sojaprodukte wegen der Proteine.
	g	Ich esse viel Obst und Gemüse. (This is likely to be true also for diabetics.)
2 Ich bin Diabetiker/in	a	Ich darf kein Fett essen.
	c	Ich muß viele kleine Gerichte am Tag essen.
	d	Ich darf nicht zu viel Zucker essen.
	e	Ich muß kalorienarme Gerichte essen.

30

This is what the new menu should look like:

Kleine Gerichte

Schinken-Käse-Toast, Klare Rinderbrühe, Zwiebelsuppe mit Speck

Hauptgerichte

Hähnchen mit Pommes frites und Salat, Fischfilet mit Reis, Schnitzel mit Bratkartoffeln, Steak mit Pfifferlingen in Rahmsauce, Tagliatelle mit frischem Lachs

Vegetarisches

Soja-Gulaschsuppe, Tomatensuppe, Gemüsepizza, Spinat-Lasagne, Nudelauflauf mit Brokkoli

Desserts

Eisbecher Hawaii, Rote Grütze mit Vanillesoße, Schokoladencreme mit Mandeln.
Für Diabetiker: Diabetiker-Eis (Vanille oder Schokolade)

Getränke

It's up to you which drinks you choose to include in this column.

1

The correct answers are **1 a** and **2 b**.

2

1 Dippoldiswalde is south of Dresden.

2 Heike says that Dippoldiswalde is very small (and quiet).

3 Heike can't do all her shopping there because there aren't many shops in Dippoldiswalde.

4 Yes, Heike likes living in the country.

5 The country is very quiet.

6 Thomas thinks Heike might feel lonely there.

7 Irfan says that Heike has a computer and is connected to the Internet.

3

2 Sachsen liegt östlich von Thüringen.

3 Rheinland-Pfalz liegt südlich von Nordrhein-Westfalen.

4 Baden-Württemberg liegt westlich von Bayern.

5 Stuttgart liegt nordwestlich von München.

6 Potsdam liegt südwestlich von Berlin.

7 Magdeburg liegt südöstlich von Hannover.

8 Deutschland liegt südöstlich von England.

Donnerstag

4

Here is the correct order for the dialogue:

Heike Aus welcher Stadt in der Türkei kommst du, Irfan?

Irfan Aus Istanbul.

Heike Gefällt es dir in Deutschland?

Irfan Ja, ich lebe gerne hier.

Heike Und wie gefällt es dir in Wuppertal?

Irfan Na ja, ich wohne nicht gerne in der Stadt.

Heike Aber du kommst doch aus einer Großstadt!

Irfan Istanbul gefällt mir nicht, es ist zu laut.

Heike Warum?

Irfan Es gibt zu viele Menschen … 10 Millionen Einwohner!

Heike Und wo wohnt deine Familie?

Irfan Meine Eltern leben jetzt auf dem Land, südöstlich von Istanbul.

Heike Und wie ist es dort?

Irfan Es ist sehr ruhig, das gefällt mir, und meine Eltern leben gerne dort.

Heike Du bist also auch kein Stadtmensch!

Irfan Nein, ich wohne lieber auf dem Land … wie du!

5

Likes	Dislikes	Preferences
ich lebe gerne hier	ich wohne nicht gerne in der Stadt	ich wohne lieber auf dem Land
das gefällt mir	Istanbul gefällt mir nicht	

6

	Heike	Irfan
zu viele Autos, zu viel Verkehr	☐	☒
nicht genug öffentliche Verkehrsmittel	☐	☒
im Ruhrgebiet ist es auch nicht viel besser	☒	☐
es gibt viel Industrie hier	☐	☒
die Umweltverschmutzung ist ein Problem	☒	☐
nicht so große Verkehrsprobleme wie in Istanbul	☐	☒
auch Probleme mit dem Verkehr	☒	☐
es gibt immer mehr Autos	☒	☐
Schwebebahn: keine Umweltverschmutzung	☐	☒
ein geniales Verkehrsmittel	☒	☒

7

Heike and Irfan are discussing environmental problems in Istanbul and the Ruhrgebiet. The main problems are too much traffic and insufficient public transport. The *Schwebebahn* in Wuppertal is, however, an excellent means of transport.

8

1 Ich nehme …

2 Ich suche …

3 Können Sie … für mich bestellen?

4 in Schwarz

5 in Größe 38

6 Kann ich ihn/sie/es umtauschen?

7 Ich schaue nur.

8 der Kassenzettel

9 Kommen Sie zurecht?

10 Möchten Sie eine Tüte?

11 unsere Bestellung

12 Bitte liefern Sie …

9

1 Das Buch gefällt mir nicht. Kann ich **es** umtauschen?

2 Ich nehme die CD-ROM. **Sie** ist für meine Tochter.

3 Ich nehme den Pullover hier. Kann ich **ihn** umtauschen, wenn er nicht paßt?

4 Ich möchte ein Faxgerät bestellen. Können Sie **es** nach Dresden senden?

5 Ich möchte einen neuen Drucker, aber **er** darf nicht so teuer sein.

6 Wann können Sie uns die neue Kaffeemaschine liefern? Wir brauchen **sie** dringend!

10

You should have picked out these phrases:

1 Eine Studie des Ehapa-Verlags hat herausgefunden …

2 Diese Jugendlichen sind nicht mehr mit einem Plot zufrieden, wie es in Büchern oder Filmen zu finden ist.

3 Sie ist das einzige Medium, das den Leser und Zuschauer aktiv teilnehmen läßt *or* Und bald gibt es auch den interaktiven Spielfilm auf CD-ROM.

4 Dagegen gab es nur 7000 CD-Titel.

5 Und die Domäne der Romane und Erzählungen kann die CD-ROM außerdem nur schwer erobern, … .

11 No feedback is provided here as there are model answers on the cassette and a written version is provided in your transcript booklet.

12

1 e Ein Gast hat Kopfschmerzen und kann schlecht atmen.

2 b Irfan bringt ein Glas Wasser.

3 c Thomas ruft den Notarzt an.

4 a Heike hilft im Café.

5 d Karin ist beim Zahnarzt.

13

Notarzt Was fehlt Ihnen denn?

Gast Ach, es geht mir wieder etwas besser, aber ich habe Kopfschmerzen.

Notarzt Haben Sie die Beschwerden schon lange?

Gast Nein, erst seit 30 Minuten.

Notarzt Haben Sie auch Schmerzen in der Brust?

Gast Nein.

Notarzt So – dann gebe ich Ihnen ein Mittel gegen die Schmerzen. Und morgen müssen Sie Ihren Hausarzt konsultieren. In welcher Krankenkasse sind Sie?

Gast In der Techniker Krankenkasse.

14

1 Dr. Walter Behrends specialises in **orthopaedics, chirotherapy, plastic surgery and sports injuries**.

2 Dr. Stefan Wenninger specialises in **paediatrics**.

3 Dr. K. and Dr. H.-D. Schmidhuber specialise in **dentistry and dental surgery**.

4 Dr. Sandra Baumeister specialises in **gynaecology and obstetrics**.

15 No feedback is provided here as there are model answers on the cassette and a written version is provided in your transcript booklet.

16

2 Frau Hollbein should take her medication every night **before going to bed**.

3 **The doctor's receptionist** will give her the prescription.

4 She says Frau Hollbein should give up **coffee, alcohol** and cigarettes.

5 The doctor tells her to **do some sport and recommends a fitness centre.**

6 Frau Hollbein's husband **is going to give her** an exercise bicycle **for Christmas.**

17

1 So, und was fehlt **dir**, David? Hast **du** auch Zahnschmerzen wie deine Schwester?

2 So, Miriam. Beate gibt **dir** jetzt das Rezept, und dann kannst du mit Mama und David nach Hause gehen.

3 Aber Frau Meyer-Sert, Sie wissen doch, ich helfe **Ihnen** gerne.

4 Und dann kommen Sie bitte in ein paar Wochen wieder. Beate gibt **Ihnen** einen Termin.

5 Ach … und Frau Meyer-Sert, ich empfehle **Ihnen** eine Zahncreme mit Fluor für **Sie** und die Kinder.

6 Hier, David und Miriam, ich schenke **euch** eine Tube Zahnpasta. Ihr müßt heute abend gleich Zähne putzen.

18

1 Die Ärztin verschreibt **ihr** Tabletten.

2 Sie empfiehlt **ihr** einen neuen Fitness-Club in Barmen.

3 Karin schenkt **ihm** Blumen.

4 Heike hilft **ihnen** im Café.

5 Die Verkäuferin empfiehlt **ihr** einen eleganten Pullover.

6 Der Zahnarzt gibt **ihnen** eine neue Zahncreme.

7 Thomas möchte **ihr** gerne einen Kuß geben.

19

1 Irfan Sert ist **Türke**. Er spricht **Türkisch** und Deutsch.

2 Frau Catt kommt aus Schottland. Sie ist **Schottin**.

3 Herr Schwartz kommt aus den USA. Er ist **Amerikaner**.

4 Herrn Niemeyers Firma exportiert viel nach Italien, aber er spricht nicht **Italienisch**.

5 Wolfgang Klose macht einen **Französisch**-Kurs, weil er und seine Frau gerne nach Frankreich fahren.

20

1 Ihre Mutter kommt aus Polen.

2 Sie lebt seit 23 Jahren in Deutschland.

3 In Polen ist sie Ausländerin.

4 Irfans Heimat ist Deutschland. Seine Familie und seine Freunde leben hier.

5 Sie kennt Felix seit 10 Jahren.

21

2 Gina Lollobrigida kommt aus Italien. Sie ist Italienerin.

3 Jean-Paul Gaultier kommt aus Frankreich. Er ist Franzose.

4 Vasco da Gama kommt aus Portugal. Er ist Portugiese.

5 Maria Theresia kommt aus Österreich. Sie ist Österreicherin.

6 Pablo Picasso kommt aus Spanien. Er ist Spanier.

7 Hägar der Schreckliche kommt aus Dänemark. Er ist Däne. (*Hägar der Schreckliche* is the comic figure Hägar the horrible)

8 Nelson Mandela kommt aus Südafrika. Er ist Südafrikaner.

22

1 „Also Karin, woher kommt denn der Thunfisch?"
„Der kommt aus **dem Atlantik**."

2 „Und die Pistazien?"
„Aus **dem Iran**"

3 „Ach, und der Käse, woher kommt der?"
„Der Käse kommt aus **der Schweiz**."

4 „Und der Wein? Wir kaufen doch keinen Wein im Großmarkt!"
„Der Wein war sehr billig und kommt aus **dem Rheingau**."

5 „Was ist das? Wodka? Wir brauchen keinen Wodka hier. Woher kommt der?"
„Der kommt aus **der Ukraine**."

6 „Ach – und die Computer-Software?"
„Die kommt aus **den USA**."

23

1 Er kommt aus Mecklenburg./Er kommt aus Deutschland.

2 Seine Muttersprache ist Deutsch.

3 Er ist Bankdirektor, Bergwerksbesitzer und Archäologe.

4 Er studiert Archäologie.

5 Seine Frau ist Griechin.

6 Er spricht Französisch, Holländisch, Spanisch, Italienisch, Portugiesisch, Russisch, Schwedisch, Polnisch, Türkisch, Arabisch, Persisch und Griechisch.

7 Er lernt eine Sprache in 6–8 Wochen.

8 Er liest laut und übersetzt nicht.

9 Er stirbt in Italien.

10 Er kauft seine Hüte in London.

Freitag

1

1 **a** Frau Bahr kommt um 11.30.

2 **b** Die Nachricht, die Irfan per e-mail bekommen hat, war falsch.

3 **b** Grüner Veltliner ist ein Wein.

4 **a** Irfan bekommt auf seine Bestellung 3% Rabatt.

5 **a** Der neue Riesling ist trockener als der Döbelsberger Blaufuß.

6 **b** Frau Bahr empfiehlt den Riesling, weil er besser als der Döbelsberger Blaufuß ist.

2

1 billig

2 teuer

3 süß

4 klein

5 groß

6 schön

7 schlecht

8 jung

9 alt

10 lang

11 hoch

3

2 David ist älter als Miriam.

3 Der Mount Everest ist höher als die Zugspitze. (*Die Zugspitze* is the highest mountain in Germany.)

4 Das Wetter in Rom ist besser als das Wetter in Wuppertal.

5 Der Döbelsberger Blaufuß ist lieblicher als der Riesling.

6 Frankreich ist größer als Deutschland.

7 Das Taxi ist teurer als die Schwebebahn.

4

No feedback is provided here as there are model answers on the cassette and a written version is provided in your transcript booklet.

5

2 lang – kurz

3 oben – unten

4 schnell – langsam

5 schön – häßlich

6 klug – dumm

7 reich – arm

8 stark – schwach

6

2 Thomas ist überrascht, weil Heike Felix schon 10 Jahre kennt.

3 Heinrich Schliemann fährt nach London, weil er einen Hut kaufen möchte.

4 Heike lebt gern in Dippoldiswalde, weil es dort sehr ruhig ist.

5 Die Umweltverschmutzung ist ein Problem im Ruhrgebiet, weil es viel Industrie gibt.

6 Karin kauft den Pullover für DM 149,90, weil er ihr gefällt.

7 Thomas ruft den Notarzt, weil ein Gast starke Kopfschmerzen hat und kaum atmen kann.

8 Irfan sagt, Deutschland ist seine Heimat, weil hier seine Freunde und seine Familie leben.

7

No feedback is provided here as there are model answers on the cassette and a written version is provided in your transcript booklet.

8

No feedback is provided here as there are model answers on the cassette and a written version is provided in your transcript booklet.

9

No feedback is provided here as there are model answers on the cassette and a written version is provided in your transcript booklet.

10

1 Autobahn **A46**

2 Ausfahrt Wuppertal-**Elberfeld**, das ist Ausfahrt Nr. **34**

3 zuerst geradeaus, dann **rechts**, dann wieder **rechts** (Hofkamp)

4 dann die **erste** Straße **links**

5 am **Hauptbahnhof** vorbei

6 dann **rechts** in die Blankstraße und die **erste Straße links** ist die Max-Horkheimer-Straße

7 die Bergische Universität ist **auf der linken Seite.**

Note that when talking about dates using *am* (*am ersten Mai*) all ordinal numbers end in *-ten*. This is because *am* is followed by the dative. Where ordinal numbers are used as an adjective describing the subject or direct object of the sentence they end in *-te* (*die erste Straße*).

11

Sie nehmen die Autobahn A1 bis zur Ausfahrt 93, Wuppertal-Ost. Dann fahren Sie geradeaus (die Straße heißt zuerst Jesinghauser Straße, dann Dahler Straße und dann Berliner Straße). Sie nehmen die zweite Straße rechts (das ist die Westkotter Straße) und dann die erste Straße links. Das Rathaus ist auf der linken Seite.

12

1 Heike möchte in der Buchhandlung einen Stadtplan kaufen.

2 Die Frau in der Buchhandlung empfiehlt die Stadthalle, das Fuhlrott-Museum, den Zoo und die Schwebebahn.

3 Mittwochs ist das Musuem von 10 bis 13 Uhr und von 15 bis 20 Uhr geöffnet.

4 Am Wochenende schließt das Museum um 17 Uhr.

13

Heike geht zur Schwebebahnstation, aber Thomas ist schneller. Er will Heike die **Stadt** zeigen. Heike möchte zuerst **Schwebebahn** fahren und dann in die **Fußgängerzone** gehen. Das Von der Heydt-Museum kennt sie noch nicht. Thomas möchte mit Heike ins **Museum** und in den **Zoo** gehen, aber Heike muß um 17 Uhr wieder zurück sein, weil Felix heute abend anruft.

14

1 Ich **weiß** nicht.

2 Ich **weiß** nicht. Ich **kenne** ihn nicht.

3 Was **wissen** Sie über Heinrich Schliemann?

4 **Kennen** Sie meinen Bruder?

5 **Kennst** du den Wuppertaler Zoo? Der ist ganz toll.

15

1 The 'old lady' is the *Schwebebahn*.

2 The *Schwebebahn* was built in 1899 and has been used for public transport since 1901.

3 The face-lift is going to cost DM 400 million. The city of Wuppertal (*die Stadt*), the Federal State of Nordrhein-Westfalen (*das Land*) and the German Federal Government (*der Bund*) will be paying for it. (There are three levels of government and administration in Germany. They are called *die Stadt* or *die Kommune* at municipal level, *das Land* at regional level and *der Bund* at national level.)

16

You could have added the following facts:

Die Schwebebahn ist seit 1901 öffentliches Verkehrsmittel / bekommt ein Facelifting für 400 Millionen Mark / ist bald 100 Jahre alt / hat ein Problem – quietscht zu laut / ist ein Symbol der Stadt / ist ein wichtiges Denkmal / ist das sicherste Verkehrsmittel der Welt / hat täglich 60 000 Fahrgäste / braucht 35 Minuten für 13,3 Kilometer

17

Nr.	
7	Ist das dann viel teurer?
1	Entschuldigung, der Automat funktioniert nicht.
6	Bis zu 5 Personen können im Stadtgebiet Wuppertal Schwebebahn, Bus und Zug fahren.
2	Wir möchten gern mit der Schwebebahn fahren – bis zur Endstation.
3	Also, zwei Einzelfahrscheine.
9	Wir nehmen die Tageskarte.
8	Es gibt ein Kombi-Ticket für DM 10,– für den Zoo und die Schwebebahn.
5	Ich empfehle Ihnen eine Tageskarte.
4	Ist die Fahrkarte auch für den Bus gültig?

18

Here are the corrected statements, plus excerpts from the dialogue which should have given you clues for your answers:

1   The clerk wants to sell Heike and Thomas two **single tickets** at first. (*Also, zwei Einzelfahrscheine.*)

2   Thomas wants to know whether the ticket is also valid for the **bus**. (*Ist die Fahrkarte auch für den Bus gültig?*)

3   The clerk recommends a **one-day travel card**. (*Ich empfehle Ihnen eine Tageskarte …*)

4   He says that with the one-day travel card, up to five people can use the *Schwebebahn*, buses and railway, but **only in the city of Wuppertal**. (*… nur im Stadtgebiet Wuppertal …*)

5   The one-day travel card costs **DM 8,70**. The single ticket costs DM 2,90. (*DM 8,70 statt DM 2,90 für den Einzelfahrschein.*)

6   The combined ticket for zoo and *Schwebebahn* costs **DM 10,–**. (*… ein Kombi-Ticket für DM 10,– …*)

7   Heike and Thomas eventually buy **one** one-day travel card. (As the clerk explained before, up to five people can travel on one ticket.) (*Also, eine Tageskarte …*)

19

No feedback is provided here as there are model answers on your cassette and a written version is provided in your transcript booklet.

20

1 c Sie arbeitet in der Semper-Oper.

2 d Er geht gerne in die Oper.

3 e Sie wollen ins Theater gehen.

4 b Er geht in den Fitness-Klub.

5 a Sie ist im Büro.

21

		Dative	Accusative
1	Irfan und Karin arbeiten im Café Einklang.	☒	☐
2	Heike und Thomas gehen am Wochenende zusammen ins Tanztheater.	☐	☒
3	Irfan geht in die Küche.	☐	☒
4	Karin und die Kinder gehen in die Stadt einkaufen.	☐	☒
5	Thomas hilft Irfan in der Küche.	☒	☐
6	Heike geht gerne in die Disco.	☐	☒
7	Heike arbeitet in der Semper-Oper.	☒	☐
8	Die Kinder möchten in den Park gehen.	☐	☒

22

1 b Wir gehen in die Kneipe und treffen Klaus und Babsi.

2 a Herr Söderbaum arbeitet noch im Büro.

3 b Herr Timmann geht ins Café Einklang.

4 c Ich gehe lieber ins Restaurant.

5 c Nein, ich komme nicht oft in den Fitness-Klub.

23

4 aufstehen

1 frühstücken

3 in der Küche helfen

2 einkaufen

24

Here is one possible answer. Yours will be different – but check through this one and look for similarities to your answer.

Heidelberg, den 3.11.1996

Lieber Georg, liebe Sabine,

es ist sehr schön hier in Heidelberg. Ich stehe morgens schon um 8 Uhr auf und gehe in den Fitness-Club! Dann frühstücke ich im Hotel und lese die Zeitung. Danach gehe ich in den Park, in ein Café, oder ich gehe einkaufen. Man kann hier sehr viel machen. Heute besuche ich den Zoo, und morgen gehe ich ins Stadtmuseum. Das Schloß *(castle)* ist auch eine tolle Sehenswürdigkeit. Von dort kann man die ganze Stadt sehen! Man kann hier auch sehr gut spazierengehen. Abends bin ich immer in der Hotelbar und treffe andere Gäste, oder ich sehe fern.

Alles Gute,

Brigitte

25

1 She would like them to send her their catalogue and price list for table decorations.

2 They are sending their full up-to-date catalogue and price list.

3 They draw attention to their special offers for the Christmas season.

4 a Sehr geehrte Damen und Herren,

b Sehr geehrte Frau (+ Name),

c Sehr geehrter Herr (+ Name),

d Mit freundlichen Grüßen,

e besten Dank für Ihr Schreiben vom …

f Anbei senden wir Ihnen …

g Anlagen

(Note that in a German business letter, enclosures are listed at the end of the letter under the heading *Anlage* if one document is enclosed, or *Anlagen* if there is more than one document.)

Samstag

1

		richtig	falsch
1		☒	☐
2		☒	☐
3	Er hat **nicht** im Supermarkt eingekauft.	☐	☒
4		☒	☐
5		☒	☐
6		☒	☐
7	Er hat das alte Faxgerät **nicht** repariert.	☐	☒
8		☒	☐
9		☒	☐
10	Er hat **nicht** mit der Brauerei telefoniert.	☐	☒

2

2 Ich habe die Küchenuhr repariert.

3 Ich habe die Gläser gespült.

4 Ich habe David in den Sportclub gebracht.

5 Ich bin auf den Markt gefahren und habe Gemüse eingekauft.

6 Ich habe einen Artikel über vegetarisches Essen gelesen.

7 Ich bin auf die Post gegangen und habe Briefmarken gekauft.

8 Ich habe mit Heike gefrühstückt.

3

No feedback is provided here as there are model answers on your cassette and a written version is provided in your transcript booklet.

4

Irfan hat ein Faxgerät, drei Rollen Faxpapier und 10 Computerdisketten im PC-Markt **gekauft**. Er ist gegen 10 Uhr ins Café **zurückgekommen** und hat das Faxgerät **installiert**. Das war kein Problem. Aber der Computer hat schon wieder nicht **funktioniert**. Irfan hat sofort im PC-Markt **angerufen**. Dann ist ein Fax **gekommen**.

5

		richtig	falsch
I	An **elephant** is going to arrive at the **zoo** on Monday at 4 pm.	☐	☒
2		☒	☐
3		☒	☐
4	The transport vehicle will go **directly to the new elephant building.**	☐	☒
5		☒	☐
6	Payment will have to be made within 4 **weeks**.	☐	☒

6

Rezeptionistin   Zirkus Kaiser, guten Morgen.

Irfan   Mein Name ist Sert. Ich möchte Frau Kaiser-Altmann sprechen, bitte.

Rezeptionistin   Einen Moment, ich verbinde.

Frau K.-A.   Kaiser-Altmann.

Irfan   Hier ist Sert vom Café Einklang in der Mozartstraße in Wuppertal. Ich rufe an, weil wir ein Fax von Ihnen bekommen haben – aber das ist an den Zoo adressiert. Es geht um einen Elefanten.

Frau K.-A.   Ja … ich habe vor 5 Minuten ein Fax gesendet – einen Moment – ich habe es hier.

Irfan   Ich glaube, Sie haben die falsche Faxnummer gewählt.

Frau K.-A.   Oh ja, das tut mir leid. Also, da möchte ich mich entschuldigen.

Irfan   Das macht nichts. Ich war nur ein bißchen überrascht.

Frau K.-A.   Ja, also vielen Dank für Ihren Anruf! Auf Wiederhören.

Irfan   Auf Wiederhören.

7

Sehr **geehrte** Frau Meyer-Sert,

vielen Dank für Ihre Bestellung auf 300 l Gambrinius Bier vom 26.7. Die Lieferung wird **nächste Woche** bei Ihnen eintreffen. Wir möchten uns für die Verzögerung **entschuldigen** und können Ihnen einen **Rabatt** von 3% anbieten.

Mit **freundlichen** Grüßen,

Brauerei Kitzinger

8   These are the points you should have noted:

1   She lived in Wuppertal, Berlin, Zürich and Jerusalem.

2   Her father was a banker, her first husband was a doctor and her second husband was a painter.

3   Her works combined old Jewish traditions, dark expressionism, reality and dream, mythical elements, elements from the Old Testament and the orient and present-day problems.

4   She was full of imagination (*voller Phantasie*). She combined Jewish religious beliefs with a love of German culture and landscape.

5   She died very poor (*sehr arm*).

9   1901 hat sie zum zweiten Mal geheiratet.

1909 hat sie das Drama „Die Wupper" geschrieben.

1911 hat sie sich von ihrem zweiten Mann getrennt.

Vor 1933 hat sie in Berlin gelebt und viele Künstler kennengelernt.

1933 ist sie nach Zürich gegangen.

1937 ist sie nach Jerusalem emigriert.

1945 ist sie sehr arm gestorben.

10   1   c   Karins Eltern werden ins Café kommen.

2   d   Frau Möbius wird babysitten.

3   b   David und Miriam werden schlafen.

4   a   Karin und Irfan werden im Café sein.

11   1   g   Thomas wird als Arzt in einem Krankenhaus arbeiten.

2   e   Heike wird eine berühmte Musikerin sein.

3   a   Miriam wird in die Schule gehen.

4   f   Irfan wird einen neuen Computer kaufen.

5   b   Karin und Irfan werden weiter im Café Einklang arbeiten.

6   d   Herr Söderbaum wird Abteilungsleiter bei der Firma Futura Elektronik GmbH sein.

7   c   Wolfgang wird sehr gut Französisch sprechen.

12

1 Heute abend feiern die Meyer-Serts Irfans Geburtstag.

2 Ein Hacker hat die Probleme mit dem Computer verursacht.

13

1 Weil er abnehmen möchte. (Weil er zu dick ist.)

2 Weil Irfan morgen Geburtstag hat.

3 Weil er mit Herrn Diestel von der Computerfirma im Büro ist. (Weil er nur an seinen Computer denkt.)

4 Weil ein Hacker in seinem System ist.

5 Weil die Katze Mimi heißt.

14

No feedback is provided here as there are model answers on your cassette and a written version is provided in your transcript booklet.

15

1 Wo **warst** du? – Im PC-Markt.

2 Und warum **hattest** du keine Zeit, mit dem Elektriker zu telefonieren?

3 Gestern **war** Frau Bahr im Café Einklang.

4 Letztes Jahr **waren** wir nicht in der Türkei, aber nächsten Sommer möchten wir gerne dorthin fahren.

5 Die Meyers **waren** letzte Woche im Tanztheater, aber Irfan und Karin **hatten** leider keine Zeit.

16

Johannes Rau ist: Ehrenbürger von Wuppertal, SPD-Politiker, Ministerpräsident von Nordrhein-Westfalen.

Johannes Rau war: Buchhändler, Oberbürgermeister von Wuppertal, Minister, Kanzlerkandidat.

17

Statements **1**, **2**, **4** and **5** and definitely correct.

18

1 1,918,000 people of Turkish origin live in Germany.

2 They were first asked to come in 1961.

3 It was stopped in the early seventies (*Anfang der 70er Jahre*) because of the energy crisis and the recession.

4 They were called *Gastarbeiter* (guest workers).

5 Many immigrants were eventually joined by their families.

6 Today the third generation of Turkish immigrants are living in Germany. They have their own social life with sports clubs, cultural societies, mosques and cafés.

7 Many immigrants are from the former Yugoslavia, Italy and Greece.

19

  I heute nacht

  2 am Dienstag

  3 am Nachmittag (am Dienstag nachmittag)

  4 nach Köln

  5 im Sommer

  6 an Weihnachten

  7 am zweiten Weihnachtsfeiertag

  8 um 4 Uhr zum Kaffee

  9 am 25. Dezember

10 aus Hamburg

20

Irfan   Haben Sie schon Pläne für Silvester, Herr Klose?

Wolfgang   Ja, **am** 31.2. habe ich ja den ganzen Tag frei! Letztes Jahr waren wir im Neandertal und sind dort im Wald spazierengegangen. Dort ist es immer sehr schön **im** Winter. Aber dieses Jahr möchte meine Frau **nach** Düsseldorf fahren, die Geschäfte sind ja bis Mittag geöffnet. Abends gehen wir dann **zu** Freunden **zum** Abendessen. Und **um** halb zwölf gehen wir alle zusammen **in** den Park. Dort können wir das Feuerwerk **um** Mitternacht sehr gut sehen. Danach gehen wir wieder zurück **zu** unseren Freunden, wir trinken Sekt und spielen Karten.

Irfan   Ah – und dann sind alle beschwipst?

Wolfgang   Ja, dann sind alle beschwipst.

Irfan   Und Neujahr, was machen Sie da?

Wolfgang   Da kommt unsere Tochter **aus** Solingen **zum** Mittagessen. Nach dem Essen fahren wir **in** den Wald und gehen spazieren.

Irfan   Sie wissen ja, wir machen **am** 26. Dezember eine kleine Weihnachtsfeier hier im Café …

21

  2   Wir gehen um 11 Uhr in die Stadt.

  3   Können Sie am zweiten Weihnachtsfeiertag ins Café kommen?

  4   Wir gehen um halb zwölf ins Stadtzentrum, weil wir das Feuerwerk sehen möchten.

  5   Unsere Tochter kommt am 1. Januar aus Solingen.

  6   Im Sommer fliegen Karin, Irfan und die Kinder in die Türkei.

  7   Am Dienstag war Frau Möbius bei Karin zum Kaffee. (zum Kaffee bei Karin)

  8   Heike ist am Mittwoch nachmittag aus Dresden gekommen.

22

1	f	Frohe Ostern!	Happy Easter!
2	e	Frohe Weihnachten!	Happy Christmas!
3	g	Prost Neujahr!	Happy New Year!
4	c	Herzlichen Glückwunsch zum Geburtstag!	Happy birthday.
5	a	Herzlichen Glückwunsch zum bestandenen Examen!	Congratulations on passing your exam!
6	b	Herzlichen Glückwunsch zur bestandenen Fahrprüfung!	Congratulations on getting your driving licence!
7	d	Gute Reise!	Have a good trip!

23

No feedback is provided here as there are model answers on your cassette and a written version is provided in your transcript booklet.

24

1 a Felix ist Heikes Sohn.

2 a Felix ist 10 Jahre alt.

3 a Der Hacker war Felix.

4 a Irfan ist 39 Jahre alt.

5 b Karin möchte keine computer-gesteuerte Kaffeemaschine.

6 In the story there is no definite clue as to whether Thomas will be visiting Heike or not, so you are welcome to choose the alternative *you* think is more likely.

25

Your summary might look like this:

Irfan und Karin Meyer-Sert sind die Besitzer von Café Einklang in der Mozartstraße in Wuppertal. Sie haben zwei Kinder. David ist sieben, und Miriam ist vier Jahre alt. Die Großeltern, Herr und Frau Meyer, müssen oft babysitten, weil Karin und Irfan viel Arbeit haben. Irfan hat einen neuen Computer für das Café gekauft, und er hat viele Probleme. Zuerst funktioniert der Drucker nicht, und dann kommen zwei falsche e-mails. Am Mittwoch kommt Karins Freundin Heike aus Dresden zu Besuch, und Karins Bruder Thomas holt sie vom Bahnhof ab. Am Freitag zeigt Thomas Heike die Stadt, und sie fahren mit der Schwebebahn. Thomas glaubt, Heike hat einen Freund, aber das stimmt nicht. Heike hat keinen Freund. Sie hat aber einen Sohn, Felix. Er ist 10 Jahre alt und Computerfan. Felix hat die Probleme mit Irfans Computer verursacht. Er war der Hacker. Er sendet Irfan aber ein Fax zum Geburtstag und entschuldigt sich (und sagt „es tut mir leid"). Heike möchte Thomas an Weihnachten nach Dresden einladen.

Testaufgaben

... Sonntag

A | 2a, 3b, 4b, 5b, 6c

B | 2 wohnen   3 wohnt   4 wohnen   5 Wohnen   6 wohnt

C | 1 Stück   2 Kännchen   3 verheiratet   4 Kellner   5 Drucker

... Montag

A | 1 Speck   2 verkaufen   3 wie   4 Messer

B | 1 fährt   2 schläft   3 hat   4 Habt   5 Sprichst   6 nimmt   7 Nehmt

C | 1a, 2c, 3a, 4a

... Dienstag

A | 1a aufräumen   2b abholen   3b putzen   4c ausfüllen

B
2   Dann holt sie die Kinder ab.

3   Warum trinkt Irfan nicht mit Frau Möbius Kaffee?

4   Wann kommt Karins Freundin Heike nach Wuppertal?

5   Du mußt das Paket von der Post abholen.

6   Wollen wir lieber Scrabble spielen oder in die Kneipe gehen? *or* Wollen wir Scrabble spielen oder lieber in die Kneipe gehen?

7   Später geht die Familie zusammen im Supermarkt einkaufen.

8   Ich möchte morgen abend gern ins Schwimmbad gehen.

9   Kannst du bitte den Elektriker anrufen?

C | 1ab, 2ac, 3ab

. . . Mittwoch

A	1 Hier 2 sprechen 3 verbinde 4 einmal 5 Wiederhören

B	1 mich 2 euch 3 uns 4 dich 5 ihn

C	1e, 2a, 3d, 4b, 5c

. . . Donnerstag

A	1a, 2b, 3a

B	1 Wie geht es **Ihnen**?
	2 Bitte zeigen Sie **uns** den Kalender dort drüben?
	3 Hoffentlich geht es **dir** jetzt wieder besser.
	4 Herr Doktor, bitte geben Sie **mir** Tabletten gegen Kopfschmerzen.
	5 Gefällt **dir** unsere Stadt?
	6 Sie schenkt **ihm** ein russisches Buch.

C	1c, 2c, 3b, 4b, 5a

. . . Freitag

A	1 Herr Lehmann geht zum Arzt, weil er krank ist.
	2 Karin arbeitet heute nicht, weil sie mit den Kindern zum Zahnarzt gehen muß.
	3 Irfan kauft viel Wein, weil er einen Rabatt bekommt.
	4 Thomas lernt Türkisch, weil er nach Istanbul fahren möchte.
	5 Heike lebt auf dem Land, weil sie kein Stadtmensch ist.

B	**1** im Bett **2** in den Supermarkt **3** ins Büro **4** in der Stadt **5** in die Türkei

6 in der Küche

C	**1a**, **2a**, **3c**, **4c**

. . . Samstag

A	**1**	Der Elektriker **hat** heute die Kaffeemaschine **repariert**.
	2	Karin **hat** am Dienstag die Kinder **abgeholt**.
	3	Heike **ist** am Mittwoch nach Wuppertal **gekommen**.
	4	Frau Möbius **hat** den Führerschein **gemacht**.
	5	Heike und Thomas **sind** mit der Schwebebahn **gefahren**.
	6	Herr und Frau Söderbaum **haben** ihren Computer **verkauft**.

B	**1a** Sommer **2c** Frankreich **3c** 16 Uhr **4a** Kaffee **5a** Wald

C	**1ab**, **2bc**, **3ab**, **4bc**

Vokabular

Sonntag

Vormittag

Greetings and introductions

Guten Morgen.	Good morning.
Guten Tag.	Hello.
Guten Abend.	Good evening.
Grüß Gott.	Hello. (in southern Germany)
Hallo.	Hi, hello.
Auf Wiedersehen.	Goodbye.
Tschüs.	Bye. (informal)
Gute Nacht.	Good night.
mein Name ist …	my name is …
ich heiße …	my name is …
ich bin …	I am …
das ist …	this is …
sein	to be
Wie geht es Ihnen?	How are you? How do you do?
Gut, danke.	Fine, thank you.
Sehr gut.	Very well.
Bestens.	Excellent.
Es geht.	All right, O.K.
Nicht so gut.	Not very well.
Gar nicht gut.	Not at all well.

Drinks

das Bier	beer, lager
das Pils	pils (type of lager)
das Kölsch	type of lager from the area around Cologne
das Weizenbier	wheat beer, originally from Bavaria, now popular in many parts of Germany
der Rotwein	red wine
der Weißwein	white wine
das Mineralwasser	mineral water
der Orangensaft	orange juice
der Apfelsaft	apple juice
der Korn	corn schnapps

Nachmittag

Customers' orders and queries

die Tomatensuppe (-n)	tomato soup
das Käsebrot (-e)	bread and cheese, cheese sandwich
die Gemüsepizza (-s)	vegetarian pizza
die Toilette (-n)	toilet

Describing people

die Tochter (¨)	daughter
der Sohn (¨e)	son
das Kind (-er)	child
verheiratet	married
der/die Ingenieur/in	engineer
der/die Reporter/in	reporter
die Hausfrau	housewife
der Hausmann	house husband
der/die Sekretär/in	secretary
der/die Rezeptionist/in	receptionist
der/die Taxifahrer/in	taxi driver
der/die Kellner/in	waiter / waitress

der Koch / die Köchin	cook
der/die Student/in	student

Useful verbs

wohnen	to live, dwell
kommen	to come
arbeiten	to work
bestellen	to order

More on drinks and snacks

die Tasse (-n)	cup
das Kännchen (-)	pot
der Tee (-s)	tea
der Kaffee (-s)	coffee
die heiße Schokolade (-n)	hot chocolate
der Apfelkuchen (-)	apple cake
der Streuselkuchen (-)	crumble cake
der Käsekuchen (-)	cheesecake
die Schokoladentorte (-n)	chocolate gateau
die Schwarzwälder Kirschtorte (-n)	Black forest gateau
die Obsttorte (-n)	fruit gateau
das Stück (-e)	piece
die Sahne	cream
die Portion (-en)	portion
die Milch	milk
die Zitrone (-n)	lemon
mit	with
ohne	without

Abend

Computers

der Computer (-)	computer
der Monitor (-e)	monitor
die Tastatur (-en)	keyboard
das Kabel (-)	cable
das Handbuch (¨er)	handbook
der Drucker (-)	printer
die Maus (¨e)	mouse
das Büro (-s)	office

Montag

Morgen

Food

das Frühstück	breakfast
das Brötchen (-)	bread roll
das Vollkornbrot (-e)	wholegrain bread
die Scheibe (-n)	slice
die Butter	butter
die Marmelade (-n)	jam
der Honig	honey
der Schinken	ham
der Käse	cheese
die Wurst (¨e)	cold meat
das Ei (-er)	egg
ein gekochtes Ei	boiled egg
ein Spiegelei	fried egg
ein Rührei	scrambled egg
der Quark	curd cheese
das Joghurt (-s)	yoghurt
das Müsli	muesli
das Geschirr	dishes, crockery

Paying bills

zahlen (also bezahlen)	to pay
die Rechnung (-en)	bill
zusammen	together
getrennt	separate(ly)
Entschuldigung.	Sorry, excuse me.
Was macht das?	How much is it?
Stimmt so.	That's all right. (when leaving a tip)
Der Rest ist für Sie.	Keep the change.
richtig, korrekt	right, correct

Mittag

Business

exportieren	to export
importieren	to import
der/die Exportleiter/in	export manager
der Programmierer	programmer (m)
die Programmiererin	programmer (f)

Describing people

der Schotte	Scotsman
die Schottin	Scotswoman
die Familie (-n)	family
geschieden	divorced
verwitwet	widowed
ledig	single
mein Mann	my husband
meine Frau	my wife
mein Freund	my boyfriend
meine Freundin	my girlfriend
Wir leben zusammen.	We live together.
Wir leben getrennt.	We are separated.
Wie alt ...?	How old ...?
... Jahre alt	... years old
haben	to have

Languages

sprechen	to speak
ein bißchen	a little
Deutsch	German
Englisch	English
Französisch	French
Italienisch	Italian
Wie bitte?	Pardon?
verstehen	to understand
langsamer	more slowly

Abend

Eating and drinking

essen	to eat
trinken	to drink
das Obst	fruit
das Gemüse	vegetables
das Fleisch	meat
der Fisch	fish
das Hähnchen (-)	chicken
die Bratwurst (ِ-e)	fried sausage
der Reis	rice
der Salat (-e)	salad
Kartoffeln (pl)	potatoes
Nudeln (pl)	pasta
Süßigkeiten (pl)	sweets
der Alkohol	alcohol

der Sekt	German sparkling wine
der Tomatensaft (ِ-e)	tomato juice

Useful verbs

fahren (er fährt)	to go, to drive (he drives)
nehmen (er nimmt)	to take (he takes)
schlafen (er schläft)	to sleep (he sleeps)

Dienstag

Vormittag

Free time

der Ruhetag (-e)	day when a café, shop, etc. is closed
geschlossen	closed
faulenzen	to be lazy, do nothing
faul	lazy

Household tasks

aufstehen	to get up
aufräumen	to tidy up
abholen	to fetch, pick up, meet
anrufen	to call (on the telephone)
einkaufen	to shop
aufhängen	to hang up
abräumen	to clear
ausfüllen	to fill in
bügeln	to iron
putzen	to clean
spülen	to do the washing up
reparieren	to repair
der/die Elektriker/in	electrician
die Wäsche	the washing
das Geschirr	the dishes
das Formular (-e)	form
die Spülmaschine (-n)	dishwasher
der Tisch (-e)	table
das Fenster (-)	window
die Hausarbeit	housework

Nachmittag

Housing

die Wohnung (-en)	flat
das Haus (¨er)	house
das Reihenhaus (¨er)	terraced house
der Bungalow (-s)	bungalow
die Küche (-n)	kitchen
das Bad (¨er)	bathroom
das Wohnzimmer (-)	living room
das Schlafzimmer (-)	bedroom
das Arbeitszimmer (-)	study
das Eßzimmer (-)	dining room
der Keller (-)	cellar
der Dachboden (¨)	attic

Furniture

das Bett (-en)	bed
der Schrank (¨e)	wardrobe, cupboard
die Kommode (-n)	chest of drawers
das Regal (-e)	shelf

Abend

Going out

gehen	to go
ausgehen	to go out
ins Kino gehen	to go to the cinema
das Motorrad (¨er)	motorbike
in die Kneipe gehen	to go to the pub
essen gehen, ins Restaurant gehen	to go to a restaurant
lesen (er liest)	to read (he reads)
fernsehen (er sieht fern)	to watch television (he watches TV)
Musik hören	to listen to music
schwimmen gehen	to go swimming
Tennis spielen	to play tennis
treffen (er trifft)	to meet (he meets)
Leute (pl)	people
Ja, gern.	Yes, I would like to.
Ja, das ist eine gute Idee.	Yes, that's a good idea.
Nein, ich habe keine Lust.	No, I don't feel like it.
Es tut mir leid.	I'm sorry.
Ich weiß nicht.	I don't know.
Ich möchte lieber …	I'd rather …

Mittwoch

Vormittag

Telephoning

reservieren	to book
Geht das?	Is that possible?
Das geht.	Yes, that's possible.
leider	unfortunately
Das ist kein Problem.	That's no problem.
der Feiertag (-e)	public holiday
hier ist …	this is … (on the phone)
Am Apparat.	Speaking!
Sie ist nicht im Hause.	She is not in. (business language)
noch einmal	again
später	later
verbinden	to put through, connect (on the phone)
Einen Moment.	One moment.
Auf Wiederhören.	Goodbye. (on the phone)

Nachmittag

Dealing with accommodation

das Hotel (-s)	hotel
die Pension (-en)	bed and breakfast
der Gasthof (¨e)	inn
die Übernachtung (-en)	overnight stay
übernachten	to stay overnight

die Nacht (÷e)	night
die Unterkunft (÷e)	accommodation
das Einzelzimmer (-)	single room
das Doppelzimmer (-)	double room
der Konferenzraum (÷e)	conference room
der Bankettraum (÷e)	banqueting room
die Vollpension	full board
die Halbpension	half board
die Dusche (-n)	shower
die Kreditkarte (-n)	credit card
bar zahlen	to pay cash
Ich zahle bar.	I pay cash.
der Flughafen (÷)	airport
das Messegelände (-)	trade fair site
buchstabieren	to spell

Expressing frequency

immer	always
meistens	mostly
oft	often
manchmal	sometimes
selten	seldom, rarely
nie	never

Abend

Weather

naß	wet
schlecht	bad
regnen (es regnet)	to rain (it is raining)
schneien (es schneit)	to snow (it is snowing)
Die Sonne scheint.	The sun is shining.
Es ist sonnig.	It is sunny.
Es ist neblig.	It is foggy.
Es ist windig.	It is windy.
Ich friere.	I am cold.
der Wetterbericht (-e)	weather report
die Wettervorhersage (-n)	weather forecast

More on food and drink

das Gericht (-e)	dish

das Hauptgericht (-e)	main course
das Dessert (-s)	dessert
der/die Diabetiker/in	diabetic
der/die Vegetarier/in	vegetarian
die Rinderbrühe (-n)	beef broth
die Zwiebelsuppe (-n)	onion soup
der Nudelauflauf (÷e)	pasta bake
das Schnitzel (-)	veal cutlet
Bratkartoffeln (pl)	fried potatoes
der Eisbecher (-)	ice-cream sundae
der Lachs	salmon
die Rahmsoße (-n)	cream sauce
der Spinat	spinach
Pfifferlinge (pl)	chanterelles (type of mushroom)
Mandeln (pl)	almonds
rote Grütze	type of red fruit jelly

Donnerstag

Vormittag

Town and country

die Stadt (÷e)	town, city
die Großstadt (÷e)	big city
das Dorf (÷er)	village
auf dem Land	in the country
ruhig	quiet
laut	noisy
Es gefällt mir.	I like it.
dort	there
der Verkehr	traffic
öffentliche Verkehrsmittel (pl)	public transport
das Auto (-s)	car
die Industrie	industry
die Umweltverschmutzung	pollution

Shopping and ordering

das Geschäft (-e)	shop
die Bestellung (-en)	order

liefern	to supply, deliver
kaufen	to buy
suchen	to look for
zeigen	to show
umtauschen	to (ex)change
verlieren	to lose
passen	to fit
Kommen Sie zurecht?	Can you manage? (*here*:) Can I help you?
die Tüte (-n)	carrier bag
der Kassenzettel (-)	till receipt
das Weizenbrötchen (-)	wheat bread roll
das Roggenbrötchen (-)	rye bread roll
der Pullover (-)	jumper
das Seidentuch (-̈er)	silk scarf
die Hose (-n)	trousers
der Schuh (-e)	shoe
die CD (-s)	CD
das Buch (-̈er)	book
das Faxgerät (-e)	fax machine
die Kaffeemaschine (-n)	coffee machine

Nachmittag

Health

Was ist los?	What's the matter?
Was fehlt Ihnen?	What's the matter? What's wrong with you?
der Arzt (-̈e)	doctor (m)
die Ärztin (-nen)	doctor (f)
der Zahnarzt (-̈e)	dentist (m)
die Zahnärztin (-nen)	dentist (f)
die Sprechstunden-hilfe (-n)	doctor's receptionist, practice nurse
das Rezept (-e)	prescription
krank	ill
Mir ist schlecht.	I feel sick.
Kopfschmerzen (pl)	headache
Magenschmerzen (pl)	stomach-ache
Zahnschmerzen (pl)	toothache
Rückenschmerzen (pl)	backache
Halsschmerzen (pl)	sore throat

der Schnupfen	a cold
das Fieber	fever
Es tut weh.	It hurts.
helfen (er hilft)	to help (he helps)
Beschwerden (pl)	(*here:*) complaint
schon 3 Wochen	for three weeks (already)
erst 2 Tage	for two days only
die Tablette (-n)	tablet
das Medikament (-e)	medication, medicine
geben	to give
es gibt	there is/are …
verschreiben	to prescribe
empfehlen	to recommend
schenken	to give (as a present)

Abend

Nationalities

das Land (-̈er)	country
die Sprache (-n)	language
geboren in …	born in …
die Heimat	the place where you feel at home
der/die Ausländer/in	foreigner

Freitag

Vormittag

Useful adjectives

trocken	dry
lieblich	sweet (for wine)
klein	small
groß	big
billig	cheap
teuer	expensive
lang	long
kurz	short
hoch	high
niedrig	low
schnell	fast

langsam	slow
schön	beautiful, good (weather)
häßlich	ugly
klug	clever
dumm	stupid
reich	rich
arm	poor
stark	strong
schwach	weak

Mittag

Places in town

das Schwimmbad (-̈er)	swimming pool
das Rathaus (-̈er)	town hall
der Park (-s)	park
die Universität (-en)	university
der Zoo (-s)	zoo
die Bushaltestelle (-n)	bus stop
der Fluß (die Flüsse)	river
das Museum (die Museen)	museum
moderne Kunst	contemporary art
die Kirche (-n)	church
das Fremdenverkehrsamt (-̈er)	tourist information office
die Buchhandlung (-en)	book shop
der Hauptbahnhof (-̈e)	main station
die Fußgängerzone (-n)	pedestrian area
die Ladengalerie (-n)	shopping mall
die Sehenswürdigkeit (-en)	sight

Directions

wo ist ...?	where is ...?
wie komme ich zum/ zur ...?	how do I get to the ...?
die Straße (-n)	street
die Kreuzung (-en)	crossing
rechts	right
links	left

auf der rechten Seite	on the right-hand side
auf der linken Seite	on the left-hand side
die Autobahn (-en)	motorway
die Ausfahrt (-en)	motorway exit
der Stadtplan (-̈e)	street map

Opening times

Öffnungszeiten (pl)	opening times
geöffnet	open
geschlossen	closed
öffnen	to open
schließen	to close
von ... bis ...	from ... to ...

Nachmittag

Using public transport

die Verkaufsstelle (-n)	ticket office
die Einzelfahrkarte (-n)	single ticket
die Rückfahrkarte (-n)	return ticket
einfach	one way
hin- und zurück	return
die Tageskarte (-n)	one-day travel card
die Wochenkarte (-n)	weekly travel card
die Minigruppen-Karte (-n)	group/family ticket
der (Fahrkarten-) Automat (-en)	ticket machine
die Schwebebahn	monorail suspension train
der Bus (-se)	bus
der Zug (-̈e)	train

Business language

der Rabatt	discount
der Katalog (-e)	catalogue
der Gesamtkatalog (-e)	full catalogue
aktuell	up-to-date
die Preisliste (-n)	price list
das Sonderangebot (-e)	special offer

Samstag

Vormittag

Useful verbs

machen	to do
mitbringen	to bring/take along
bekommen	to get

Business

ein Fax senden	to send a fax
die Bilanzen machen	to do the balances
z.H. (zu Händen)	for the attention of (attn.)
d.J. (dieses Jahres)	of this year
eintreffen bei	to reach someone
das Personal	staff
ausreichend	sufficient
die Bezahlung (-en)	payment
es geht um …	it is about …
sich entschuldigen	to apologize

Biographical details

ist geboren	born
ist gestorben	died
leben	to live
heiraten	to marry
sich trennen	to separate
emigrieren	to emigrate
verliebt sein in	to be in love with

Nachmittag

Invitations

einladen (er lädt ein)	to invite (he invites)
Sie sind eingeladen.	You are invited.
die Feier (-n)	celebration
die Betriebsfeier (-n)	firm's celebration
die Abteilung (-en)	department
das Firmenjubiläum (-jubiläen)	company anniversary

Politics

der/die Minister/in	minister
der/die Politiker/in	politician
der/die Kandidat/in	candidate
die Partei (-en)	party

Abend

Celebrations

feiern	to celebrate
das Geschenk (-e)	present
die Geburtstagskarte (-n)	birthday card
die Prüfung (-en)	exam
die Fahrprüfung (-en)	driving test
bestehen (ich habe bestanden)	to pass (I passed)
der Glückwunsch (-̈e)	congratulation
wünschen	to wish
der Onkel (-)	uncle
die Tante (-n)	aunt

Acknowledgements

Grateful acknowledgement is made to the following sources for permission to reproduce material in this book:

Pages 5, 134 and 138: Presse- und Informationsamt, Wuppertal; *Page 23: Ifo Schnelldienst,* **15**, 1995, pp. 10–12, IFO Institute for Economic Research; *Page 30: Vornamen: Rangliste 1994,* © 1994 Gesellschaft für deustche Sprache e.V.; *Page 31:* Steinmetz, R. 1974, 'Konjugation', *Bundesdeutsch – Lyrik zur Sache Grammatik,* Peter Hammer Verlag, Wuppertal; *Page 40: Computerwoche,* 29 July 1994, Harenberg Kommunikation Verlags- und Mediengesellschaft mbH & Co. KG; Page *74: (right)* © Fuhlrott Museum, *(top left)* By permission of Von der Heydt Museum, *(bottom)* By permission of Zoologischer Garten der Stadt Wuppertal; *Pages 88–89:* By permission of Hotel Aktiengesellschaft, Lindner Hotels AG; *Page 128:* © 1994 Weingut Kellerei Johann Müllner, Krems; *Page 131:* Erhardt, V. 1971, 'Alles ist relativ', *Drunter und drüber,* getexte, Köln; *Page 146:* © Karin Blume-Zander, André Zander, © Verlag Werner Freese; *Page 165: Aktuell 96,* © 1995 Harenberg Lexikon Verlag.